梁望峯◎著
10大最愛排行榜

目錄

第一章　純真傳説篇 I

每個人都希望，
在最愛的人心中佔一席位

閉上雙目，

好像可以把遠遠的你拉到我面前。

0.02 公分的那個距離，

只差一點，

只差那麼一點點就可碰到你了，

如果，連你也閉上雙目，

我們就能直達彼此的世界。

第1位：M

——本內容已被作者隱藏——

第2位：在世上分裂出來的另一個自己

每次見到他，他總會心疼地對我說：「妳真不夠體貼自己！」要說誰最懂得我的需要，大概再也沒人比得上他了。他好像是我的細胞分裂出來的另一個我，每次見到他，我都會感到心情既緊張又激動。但願我也能夠擁有他的基因，來除去令我自慚形穢的那個部分。

第3位：我的救命恩人

他救過我的命，我也把他的命當成我的命了。在那天以後，他像伴隨著我的影子。我由五歲到十八歲的一切，他甚麼都知道，甚麼都記得。他記得我穿過甚麼衣服、每年的髮型是甚麼、最討厭吃甚麼菜、最常做的小動作、有甚麼口頭禪、和哪些男孩比較要好、騎的是甚麼牌子的單車、我第一篇作文的題目、每一年在班裡的排名、哪段時間請假最多……他甚麼都記得，而且記得像字典一樣精確。

第4位：Hero

一想起他，我就會聯想到熊熊的烈火。有些時候，當街上傳來消防車的響號時，我總會想他會不會就在車上？我一方面很敬仰趕往火場救人的他。另一方面，我卻替他擔心。但我知道，他最擔心別人替他擔心，所以，我只想說，我每一秒鐘也在祝福我心目中的這位大英雄。

第5位：紅色法拉利

說真的，我喜歡他大言不慚的語氣：「在香港駕駛法拉利，簡直是超級笨蛋！」最討厭的是，他本身擁有三輛法拉利，所以誰也不可質疑他的話。最可笑的是，這傢伙本來是上不了榜的，因為他對我並不怎麼樣，但由於我喜歡跟他一起在夜間飈車，是有可能跟他一起車毀人亡的，所以最好還是巴結他一下啦。

第6位：澳洲牛奶公司

這個充滿陽光氣息的澳洲男孩，是我去澳洲旅行時的導遊。就算朋友警告過我，沒有一個導遊是不風趣又不風流的，但我仍是喜歡跟我聊天聊得十分暢快的他。他的思路和香港人完全不一樣，視野廣闊得像澳洲的草原，甚至讓我的思路有被顛覆的感覺。我跟他約好了，如果他來香港，我要帶他到佐敦道馳名的「澳洲牛奶公司」，吃一客五分鐘就會被伙記催趕離開的炒蛋多士。

第7位：晚間加厚護墊

我喜歡他在MSN的署名：「晚間加厚護墊」。他是個在失眠夜晚陪伴著我的良伴。我喜歡的是他的神秘感和步步為營。從來只聽過男人約女網友出來被拒，他卻是我沒法約到的第一個男網友。他的解釋是，他在現實世界裡已有未婚妻了。對我來說，他是一套神秘電影，教人在入場前根本毫無頭緒。最討厭的是，我甚至還沒買到入場票。

第8位：尋找初戀

分手後，我才發現自己原來那麼喜歡他，可惜我沒能堅持下去，始終沒去找他回來。我們的願望柱，我去過四次，那裡每次都不一樣。我在柱上寫給他的話，也被粉刷掉，他永遠也看不到了。願望柱告訴我這世界上沒有甚麼願望是永恆不變的。不過我仍然相信那年冬天，拿走了我的初戀的他，曾真心喜歡過我。

第9位：雷霆傘兵

如果每個女人，終其一生希望遇上一個完美的男人，我想就是他了。可惜，太完美的東西永遠難以專屬一人。我只知道，他活像個空降的雷霆傘兵，在我的世界裡忽然出現了，又忽然消失，讓我無法預計，也不可加以防備。在行內混得如魚得水的他，最近紅得發紫，與我的距離也愈來愈遠了。接下來的問題是：他會從我的世界正式撤退嗎？

第10位：給我掛賬的人

我和他之間有一筆爛賬，在核賬以後，發現他還是欠我的，所以我毫不客氣地使用他，無論是雞毛蒜皮或要生要死的事都找他，偶然我還可以抓住他，借題發揮地痛罵他一頓。最難得的是，他居然又會照單全收，沒有對我賴賬。

當陸本木知道，他已順利打進金莎的「10大最愛排行榜」內，真不是說笑的，他第一時間就是雙膝跪地，雙手合十。沒有宗教信仰的他，衷心感謝每一個他聽說過的神！

陸本木是抱著《Rambo》＋《虎膽龍威》＋《戰狼300》的拼死決心去向金莎表白的，大有不成功便成仁之勢。但他寧願死得轟轟烈烈，也不要做一個鬥志消沉的（愛情）戰俘！

「你知道世上最痛苦的事情是甚麼嗎？」陸本木最好的朋友晨希告訴他：「就是跟一個美女做朋友！」

「你也支持我追求她嗎？」

「我們是最好的朋友，如果你得到100%的幸福，我也會叨上20%的光吧！」晨希給他送上一個好看的笑容，「去吧！我無限量支持你！」

因此，陸本木一鼓作氣地直走到金莎面前，好像宣誓般，對她大聲地說：

「金莎，我想成為妳的男朋友！」

當時，金莎的反應是想了一想，然後，一邊眨眼一邊對他微笑。

「哈！陸本木，謝謝你愛上我，請等消息。」

當天晚上，金莎在她的 Blog（部落格）內公佈了最新一期的「10大最愛排行榜」，本來排第 10 位的「純真傳說」慘被擯出榜外——

純真傳說

他是小我三歲的學弟，有一天突然向我遞上情信，讓我感到世上竟還有純真。他可能是這個地球上最後一片未被污染的陸地了。我喜歡他看著我戰戰兢兢、總有點受傷的那副樣子，讓我可以在他面前盡情發揮母性，與及最殘酷的蜂后霸氣。

純真傳說．殘念！

而「純真傳說」的位置，則由新上榜的人物所替代。陸本木一看之下，明眼看出了代號「給我掛賬的人」的自己，榮登第10位。

陸本木親眼看見自己上了榜，高興得直跳起來。雖然只排榜末，但總算也躋身十強了啊！這十個人，都有機會成為她的真命天子。而現在，他也是其中之一哩！

一想到這裡，他感到心頭有一團火劈劈啪啪地燃燒起來，興奮感久久也無法減退。

翌日的午飯時間，同校而不同班的陸本木和金莎，相約出去吃飯。他喜孜孜的告訴金莎，他已上網看了她的「10大最愛排行榜」。

「你高興了吧？」

「太高興了。」陸本木說：「高興得一整晚也睡不著！」

「哈！為免使你嚴重失眠，我把你拉下來好了！」

「喂！不准造馬的啦！」他急起來，苦起臉說：「我吃兩顆安眠藥不就好了！」

金莎聽到這句話，笑嘻嘻的，露出一個十分滿意的表情。

尋遍了學校附近的餐館，全部座無虛席，兩人唯有買了外賣飯盒，另覓地方去吃。一如既往，他替金莎提著飯盒。

一半出於關心，一半為了探聽，陸本木開口問道：「對了，洪卓越為何跌出榜外？妳不喜歡他啦？」她跟這個年紀比她小三歲的學弟拍了兩個月拖，兩個人感情要好。她在網上把洪卓越稱為「純真傳說」，而他也一如其名的單純可愛、零污染、非常尊重她。

跟純真可愛絕對扯不上關係的陸本木，倒真沒想到自己有機會頂替他的位置。

「他是死有餘辜的啦！」金莎回憶著，一臉不屑地說：「昨天放學，我們去公園坐坐，有三個惡霸走過來，當著他面前調戲我，他不但沒替我出頭，還慌張得全身發抖，急急拉著我離開呢！」

「他沒有做錯啊。」陸本木細想一下，如果換作自己，他又會怎樣做？他說得倒中肯：「對方有三個人，若他不保護妳離開，有可能令妳身陷險境的啊！」

「他嚇得連臉也白了！」

「他的臉一向很白的啊！」洪卓越一張臉白得可接拍美白面膜廣告，這也是誰也看得出的事實嘛。

「我被他拉走後，感到深深不忿，便指著他大聲罵了幾句，你知道他怎樣了？」

陸本木猜道：「他比妳更大聲的罵妳？」

「哈！他反罵我還好！可惜不是，他居然給我罵哭了！」金莎拍拍額尖，一臉受不了的說：「他一點也不像個男人啊！」

「哎喲！妳忘記了嗎？妳喜歡他，只因他是個小男孩——」陸本木也不忘稱讚一下自己：「哎喲，回想我在洪卓越那個年紀，我大概也會被罵得很委屈，但是，我不會哭哭啼啼，頂多……眼淚在心裡流，苦痛問怎開口——」

她側著頭瞪他一眼，以投訴的語氣對他說：「哈！陸本木，你要替洪卓越求情嗎？」

陸本木舉起雙手和飯盒作投降狀，「小妹不敢！」當然啊，兩個只能活一個嘛。

「你呢？換作是你，你會怎樣做？」

「可惜我不在案發現場啊！」陸本木聳了聳肩，這畢竟是「事不關己、己不勞心」的事情吧？他說著風涼話：「否則，嘿嘿嘿，我一定會——」

這時候，金莎打斷了他的話：「——到了！」他摸不著頭腦，再看清楚四周，她在不知不覺間把他領到公園的足球場上。

坐在球場看台的三個男生看到兩人走過來，大聲說：「咦，小妹妹，妳回來啦？」

其中一個長得像野獸的人類說：「妳認識的人真奇怪！這次沒有了小白臉，卻帶了個『牙籤人』回來，難道他要教訓我們嗎？」

「我們怕死了！」咦！另一個長得像野獸與野獸亂倫出來的後代，一臉猙獰地笑著。

「就是他們三個。」金莎看看陸本木，邊眨眼邊向他微笑，「你不會學洪卓越般硬把我拉走的，對吧？」

陸本木的背心涼颼颼的，但他毅然挺起胸膛，把兩個飯盒遞給了她，「替我拿一下。」

她從他手中接過了，用帶著電力的眼神說：「快回來，飯盒要冷了咧！」

她輕輕拍了他手背一下。

「馬上回來。」陸本木整個人飄飄然的，朝她笑了笑，然後往三人走去。

三頭野獸站了起來，氣定神閒地從看台的支柱後面取出藏起的三條鐵通，

陸本木暗叫不妙，但已別無退路了。他看看四周，在垃圾箱旁就地取材的拿起了一支掃把，為自己壯膽的大喊一聲：「我不是『牙籤人』！我是地球人！我要打怪獸！」說罷便衝向三人。

金莎隨便在附近找了一張長椅坐下，覺得餓壞了，便打開她的飯盒悠閒地吃起來，一邊像欣賞表演似的看著扭作一團的四人。

回到家裡的時候，陸本木兩個姐姐看到面腫如豬頭的他，簡直震驚極了。

大姐質問他發生何事，他技巧地把事情說成是跟他同行的女生被調戲了。

他邊說邊向空氣揮拳，說得繪聲繪影，強調自己是如何把三人揍得屎滾尿流，但當然也省去了他捱拳的一大段。

幾年前，陸本木上過一個名為「女性防狼術」的課程。由於課程是四人入會，一人免費，他平白無端就被三個姐姐拉了去，成為全班唯一的男性，再加上遇上了一名變態女教練，讓他每次也順理成章充當了色狼的角色。久而久之，他也學會做色狼要怎樣防範女性攻擊了。後來，每次非要打架不可的時候，他的「武功」也能派上用場。

大姐聽他說得天花亂墜，不但沒有稱讚他，反而加倍生氣的說：「你自以為很英雄？看看你被毆成怎樣？當心連小命也保不住！」

「我沒有充甚麼英雄，我只是做我應做的事。」陸本木苦起了臉，「大姐，妳也不想改姓烏吧！」

「甚麼？」

陸本木指指自己的頭，「你弟弟會給人叫作烏龜的啊！」

大姐用淩厲的眼神猛瞪他一眼，「你還要回嘴嗎？」

陸本木心裡大大不滿，但還是忍氣閉上了嘴巴。他總覺得，一直以來，好像沒一件事，大姐會覺得他做得對。

三姐從廚房走出來，手中已拿著跌打酒，她微笑著說：「大姐不是想責怪你，我們只是太擔心你。你挺身而出沒有不對，但也要保障自己的安全吧。」

陸本木的語氣軟了下來：「我知道了。」

大姐仍是一臉不屑，「他讀書成績那麼差勁，肯定是被女人沖昏了頭腦！」她搖著頭走進廚房準備晚飯。

三姐替陸本木塗跌打酒，揉著他的手臂，用大姐聽不到的聲音問：「你要保護的那個女生，是金莎吧？」

「對啊，就是她！」陸本木聽她這樣一問，心情自然雀躍起來，「我一個打贏了三個，看得她目瞪口呆！」

「她會更喜歡你吧？」三姐在他身後說。

陸本木問：「會嗎？」

三姐看看充斥著抽氣扇噪音的廚房，對他溫和地說：「趁大姐聽不到，我才告訴你，女孩子不知有多喜歡勇敢的男人！」

陸本木十分滿足地笑，「對啊，如果我是女孩子，我也會喜歡自己！」他興奮地轉臉看三姐，又不小心扭傷了頸，他呼呼叫痛，卻難掩自滿的呵呵笑了。

翌日早上，在陸本木上學途中，有一把柔弱的男聲叫住了他，他看到永遠像營養不良、一張臉恍如未用過的A4紙（意思是指顏色、不是面積）的洪卓越，瑟縮地站在一家便利店門前，彷彿隨時隨地也會暈倒那樣。

「陸學長，謝謝你！」洪卓越沒頭沒腦的說了一句，讓陸本木聽得一頭霧水。洪卓越是不是知道他替代了他的位置，特地走過來揶揄他？

洪卓越見陸本木向他投以奇怪的眼光，連忙解釋說：「我聽說昨天午飯時間的事了，謝謝你替金莎出頭。」

陸本木覺得洪卓越這話聽來礙耳，感覺上就像自己並非幫了金莎，倒像是幫忙了他那樣。陸本木挖苦他一下：「不客氣。我也聽說你惹她生氣的事了。」

洪卓越把頭垂得低低的，羞愧地盯住自己的鞋頭，「她被欺負了，我竟沒有替她出頭。」

陸本木見洪卓越一副可憐相，簡直要對他因憐生愛了。他只好又安慰他：「她的確被欺負了，但如果你沒足夠信心可保護她，你應該帶她走，你可沒做錯啊！」

「她說我在這關頭逃避，簡直不像個男人。」

「別傻啦！面對這些事，男人、男孩和小男嬰也沒分別的啦！」陸本木不知不覺便吐了真話：「我們沒有逃，只不過是要在女孩子面前裝英雄。」

洪卓越這時候抬起了頭，「陸學長，你真明白我！」

陸本木指指自己紅腫的額頭和嘴角，「看啊，這就是我裝英雄的後果。」

「我看了她的個人網誌，我知道自己已跌出排行榜外了。」洪卓越忽然用力拉著陸本木的手臂，好像抱著最後一絲希望，雙眼放光的說：「金莎常對我說，你是她在這間學校最好的朋友，你可否替我求求情？」

陸本木的表情顯得很為難，他胡亂地說：「只有我們兩人，我才對你說，金莎說她恨死你了，她告訴我你有多差勁、多幼稚……她總像拖著個小弟弟出街……其實她一早不喜歡你，想跟你分開了！」

洪卓越猛力搖頭，似要甩走那些惡評，他全盤否定地說：「不會的！她不喜歡我的地方，我盡力去改就是了，我會使她重新喜歡我的！」

陸本木知道自己再也無法避重就輕，他狠下心腸說：「她說啊，像你這般懦弱的男生，她怎也不願意再跟你在一起了，她痛恨沒用的傢伙——」他像總結般的說：「洪學弟，你還是放棄吧！」

聽了這話，洪卓越臉上漾起了笑容，彷彿神奇地恢復了自信，「不，我不應放棄！金莎告訴過我，我總有辦法使她開心。在那一刻，我便知道了，她會原諒我一點點的錯失。」

陸本木心裡矛盾，他再看看眼前的洪卓越，竟開始懷疑自己是否強搶了他的名次？假設他沒有向金莎表白，就算她對洪卓越有甚麼不滿，他也可能繼續在「10大最愛排行榜」之內保命吧？這種以大欺小的感覺，讓他感到渾身不舒服。

他再思考半晌才說：「你的意思是，如果無法逗回她開心，你就作罷？」

洪卓越雙手合十，一臉稚氣的說：「是的，陸學長，請你幫幫我。」

陸本木看著可憐兮兮的洪卓越，正如他無法拒絕請他買籌款曲奇餅的可憐老婆婆一樣，他明知自己也拒絕不了他。但他幫助他這件事，卻又絕不能讓金莎知道，這真傷腦筋啊。

「但我答應過金莎，不准在她面前提起你，因此，恕我無法當面幫你了。」陸本木頓一下，續說下去：「只不過，若你想到甚麼方法，讓我既可以間接幫你，又不必向金莎張揚，我便盡力幫忙吧！」

洪卓越苦苦思索一下，然後，他像突然想到了甚麼。好像害怕被人聽到似的，他湊近陸本木的耳邊小聲地說，陸本木愈聽下去，眉頭愈是聚攏起來。

看到他拼了命的哀求乞討，
我忽然深刻感受到你的威力了。
你可以讓人陷入恐懼不安，
猶如從定時炸彈上延伸出來的紅、藍兩條電線。

第二章　純真傳説篇II

為所愛的人墮落，
也是一種愛的證明

接下來那周末，陸本木約金莎吃晚飯，他故意找了一家有露天酒吧的餐廳。在香港，就只剩下這種地方可以讓人盡情地抽煙喝酒。

當金莎抽著醇薄荷萬寶路的時候，洪卓越冒了出來，陸本木看到他一身白色窄身背心、破爛牛仔褲的打扮，恍如剛從地盤下班出來，他幾乎給口中的花生噎死！

洪卓越在兩人的座位前站定，金莎真要過了三秒鐘才認出他。

洪卓越露出一個有點緊張的笑容，「真巧！我可以坐下來嗎？」

金莎向陸本木打了個眼色，他馬上搖頭聳肩，否認洪卓越的出現與自己有關。因為他知道，要是讓金莎知道他插手此事，一定會覺得他是個笨蛋。

「既然碰到了，就坐下來啊！」金莎露出一個似笑非笑的表情。

洪卓越顯得很雀躍，他在陸本木和金莎之間坐了下來。女侍應走過來的時候，他點了一杯啤酒，女侍應瞄了他一眼，似想開口斷然拒絕賣酒給這個小男童，陸本木見狀，不想使他陷入窘態，及時開口：「給我兩杯喜力，謝謝。」

侍應生走開後，金莎好好瞪了洪卓越一眼：「我不知道你懂喝酒。」

「我還有很多事，妳並不知道啊。」洪卓越看到她放在餐枱上的煙包和打火機，詢問她：「給我一根煙可以嗎？」

金莎神情有點驚訝，但她向他抬了抬下巴。陸本木在一旁觀看，覺得場面相當滑稽，洪卓越急於要表現全新面貌的自己，金莎又彷彿像個想看看自己的孩子可以放肆到哪個地步的母親。

洪卓越掏出一根煙，叼在兩唇間，再取打火機的時候，香煙卻從嘴巴掉下來，差一點便跌到地上，他故作鎮定的把跌在枱邊的香煙放回口中，點起了煙。

到了這時候，金莎已經夠理解洪卓越忽然出現的目的了，她帶著促狹的微笑問他：「那麼，你還有甚麼是我不知道的？」

洪卓越朝天空噴了一口煙，「我也懂猜拳啊！」但他卻看不到煙灰都落到自己的牛仔褲上了，陸本木當然也只好扮作視而不見。

「真的懂嗎？來猜一下如何？」她問。

「當然沒問題。」

金莎揚起手，遠遠的對侍應說：「再來一桶啤酒！」

兩人便猜起拳來，陸本木在旁觀賞。用上半天替洪卓越惡補的猜拳技術，終於大派用場，偶爾有幾次還贏了猜拳技術不賴的金莎，這證明他真是個學習天分高強的高材生啊。只不過，本身並不抽煙的陸本木，卻無法教曉他抽煙這回事。當洪卓越請教他該怎辦時，陸本木叫他去影視店買幾套由王家衛導演的影片，因為影片裡的梁朝偉總是煙不離手，各式各樣的吸煙姿勢都有了，肺癌也可患上百次了。洪卓越大概真的好好參考了它們，模仿得還算可以，但煙灰亂彈到牛仔褲上，又不難看出他是個新手。

陸本木暗中看看手錶，再看看四周，心裡開始焦急起來。趁兩人猜拳猜得起勁，他走到街上打了個電話給晨希：「你和阿嬌在哪裡啊？」

晨希用納悶的聲音說：「我們正在塞車，前面好像有幾輛車連環相撞了。」電話裡傳出不同車輛的響號聲。

陸本木苦惱地說：「快來！」

「小陸，我們先來複習一次——我和阿嬌來到酒吧，只須扮作吵架就可以了？」晨希說：「然後，你那位天真無邪的小朋友就會走過來調停？我向這個大英雄道歉一聲，就可以走了？」

「對啊，就這麼簡單。」

這時候，陸本木聽到晨希身邊的阿嬌用甜蜜的聲音調笑著說：「不用裝啊，我倆真吵一場不就好了！」

陸本木笑了起來，他說：「你替我轉告阿嬌，你倆都是我的朋友，我可不想聽任何一方哭訴！」

晨希將他的話轉告阿嬌，阿嬌咭咭地笑了，用陸本木聽得見的聲音說：「我倒想看看你們兩個大男人抱頭痛哭啊！」

「免了啦。」晨希向阿嬌鄭重聲明：「兩個傷心的男人，只會相約去找一夜情。」

折回酒吧的時候，陸本木只見到醉得東倒西歪的洪卓越。他動作狂野地在高聲猜拳（就差沒有把腳踏到椅上去），初學喝酒的他，明顯已醉瘋了，醜態畢現。

陸本木坐回去，心想該怎樣通知他計劃暫延了，就在此際，坐在不遠處的一對男女顧客起了爭執，整間酒吧也能聽到兩人吵鬧的聲音，洪卓越突然站了起來，對金莎說：「請等一等，我很快回來。」

金莎看著猜拳猜到一半就突然走開了的他，感到莫名其妙。洪卓越已步向那對男女，預備按照計劃挺身而出，根本看不見向他猛打眼色、氣急敗壞的陸本木。

金莎問陸本木：「他去哪裡？」

「按照他的移動路線看來，他想去送死哩！」來不及制止的陸本木，真想把屁股釘在座位上，甚麼也不理睬。

步履不穩的洪卓越已走到那一張枱前，向那個口出惡言的男人說：「你當街指罵女人，還算是個男人嗎？」

那男人站了起來，足足高出洪卓越一個頭，洪卓越的鼻子幾乎碰到他隔著汗衫也能感到輕輕跳動的健碩胸肌。男人兇惡地說：「你試試再說一次！看看我會不會打爆你的鼻！」

陸本木懷著最後一點的正義心腸，總算及時趕到了，他總不能眼睜睜看著洪卓越給打死的。他勉強擠到兩人之間，笑容可掬地對男人解釋：「對不起！

真對不起！我朋友喝醉了，他每次喝醉了就以為自己是少年包青天。我馬上拉他去鍘，你們請繼續。」他挾著洪卓越手臂，硬要扯走他。

走不了幾步，洪卓越使勁甩掉他，朝著男人走回去，揚聲說：「你當街指罵女人，還算是個男人嗎？」意識模糊的他喃喃說著同一句台詞，滿以為計劃仍在進行中。

男人目露兇光，咆吼一聲就向洪卓越直衝了過來，陸本木下意識的想護他，在他面前一擋，想要居中調停。男人揮出了的拳頭卻收不住勢，硬生生砸在陸本木的鼻樑上，他連慘叫的機會也沒有，已掩著臉倒在地上，整個人暈頭轉向。

男人的女伴知道惹禍了，一邊向陸本木道歉，一邊強拉著盛怒的男人離開。

金莎趕過來，看到被揍得超慘的陸本木，盛怒之下對洪卓越說：「白癡！

你就只懂做這種無聊的事嗎？」

洪卓越給嚇得酒醒了幾分，他吶吶地說了真話：「我……只想重回妳的最愛排行榜內。」

「不可能了！」金莎態度堅決，聲音冷酷地說：「我嚴格規定，在同一時間內，自己心裡只可以住十個最愛的人。只要一跌出榜外，就永遠沒有再跳進榜裡的可能！」

坐在一張椅子上，正在仰頭止鼻血的陸本木乍聽金莎這樣說，心裡不禁大吃一驚，幾乎要脫口問她為甚麼。還好，洪卓越替他問了，他囁嚅地道：「為甚麼？」

「為甚麼？你問我為甚麼？」金莎一臉淡漠的說：「不為甚麼啊！難道我不比你更明白我自己？」

洪卓越露出了意識到自己無法勉強的受傷表情，「我真的已經被別人取代了？」

「你不是也曾經取代了別人嗎？」金莎反問他：「如果被你摔出排行榜的人向我求情，我又是否該把你從名單中剔走？」

這句話正中陸本木要害，他悄悄地把整張紙巾蓋到臉孔上，連雙眼都掩住了。

洪卓越無言以對，整個人變得更蒼白，垂下眼緊咬著下唇，金莎用強硬的語氣說：「不要老是給我這個表情，像個大人般對我笑一笑吧！你開始長大了，要知道分手真的很平常！」

洪卓越深深受傷，但卻依照她的吩咐，努力向她展示了一個僵硬的笑容。

金莎凝視著洪卓越，毫不掩飾她的不滿，仍然很不滿意的說：「笑得從容一點，可以嗎？」

洪卓越雙眼頓失所有神采，確認自己真要放棄了，但他同時也如釋重負似的，溫柔地向她笑了。然後，他做回了那個生性純真的自己，率直地道歉：「今晚的事，很抱歉！請你們原諒我！」話畢，他對金莎和陸本木深深地鞠躬，然後黯然離去。

陸本木看著他飛奔出酒吧的背影，心忽然好像給堵住了，金莎這次是太過分了，他實在看不過眼，用嚴肅的語氣對金莎說：「萬一妳最愛的人向妳提出分手，我想妳也擠不出一點笑容來！」

「陸──本──木！你──」

「走先一步！我要去修理鼻子！」陸本木站起來，一邊掩著鼻子，一邊離她而去。他其實不十分理解自己在發甚麼脾氣，如果只為了鋤強扶弱是說不過去的。也許，在潛意識裡，他想到這種事遲早有一日會發生在自己身上，因此才有了身同感受的、恍如預知下場般的難受。

金莎在他身後叫了他兩聲，但酒吧內的人聲太吵了，不知是他聽不到，抑或假裝聽不到。金莎用高跟鞋大力的跺一下腳，露出一副不忿的表情。

洪卓越跑到酒吧兩條街外的一個小公園便停了下來，陸本木緊隨其後，到了公園門口，卻不知自己該不該走進去。他站著猶豫了兩分鐘，最後腳步還是向公園移去。

在一張長椅上痛哭著的洪卓越，淚水撲簌簌地沿著頰邊流下。陸本木坐到他身邊，把身上用剩的半包紙巾遞給他。

洪卓越胡亂的拭著眼淚、擤著鼻涕，情緒過了好一會才平服下來。陸本木整理一下塞在鼻管內止血的紙巾，苦笑著說：「你的方法不奏效。」

洪卓越卻用力搖頭，他感謝又歉意地說：「陸學長，謝謝你幫了我，我卻連累你被揍了。」

「算了啦，我一向不喜歡自己的鼻子，現在大可順理成章去整型了！」他乾笑著說。

洪卓越因他的話而苦笑一下，止住了眼淚的他，雙手抖顫地從衣袋裡掏出練習用的煙包，正要用打火機燃起香煙，陸本木實在看不下去，一伸手就把他叼著的香煙硬扯了下來，用力擲到地上，突然生氣地說，「夠了！你不是電影裡的憂鬱男主角，你根本連抽煙也不會！不要再這樣了！」

「我只是太難過了。」洪卓越即時道歉：「對不起！」

「你沒有對不起我。」

「不，我把整件事弄糟了。」他用力搖頭說：「你處處維護我，我卻使你失望了。」

「不是這樣的。其實，我願意幫助你，是因為……只是因為……」陸本木看著洪卓越傷透了的表情，愈來愈內疚。雖然他只有母親和三個姐姐，但那種感覺卻像傷害了自己的弟弟般。而事實上，他滿腔悶氣也憋得夠久了，終於不吐不快地說：「因為，你的位置被我搶了！」

洪卓越非常愕然，他轉過頭來，直視著陸本木，整個人張口結舌，過了好一會，驚訝多於氣憤地問：「陸學長，你就是『給我掛賬的人』？」

「是的，我就是。」陸本木挺起胸膛承認了。

洪卓越看著陸本木，陸本木也看著他。洪卓越的眼神慢慢地放軟了，彷彿很明白事理的說：「無論如何，你為了替她出頭而被打得遍體鱗傷。而且，你居然肯出手幫助你的情敵，你大概比起我更有資格榜上有名。」

陸本木不知該說些甚麼來回應，他以為自己就算不捱打，也少不免要被痛罵的。

「陸學長，我知道你是個大好人。被你取代了，我無法不死心。」洪卓越說：「只不過，我可以拜託你一件事嗎？」

「喔，你說吧。」他無法預料他下一句話是甚麼。

「我希望，你能帶同我喜歡她的那份心情，攀上排行榜的第1名！」

陸本木乍聽洪卓越這番以德報怨的話，心頭立刻灼熱起來，雙眼也濡濕了，用相當不確定的語氣問：「你真的相信，我有可能攀上第1位？」

洪卓越露出單純而真摯的笑容，語帶勉勵的說：「只要你有這個信心。」

「對啊，只要再擊敗另外九名對手！」陸本木寬心地笑起來了。

金莎把膠桶內餘下的兩瓶冰凍啤酒都喝光，陸本木還沒有回來。

她悶透了，卻又不想主動去找他，但看他沒折返也沒致電給她的跡象，她也只好不愉快地結賬離開了。

她的酒量一向很好，但人不高興時喝酒特別容易醉，她從蘭桂坊走到無人的中環大街，感覺自己走不到一條直線。當她步下燈光昏暗的石板街石階時，高跟鞋的鞋底一滑，整個人就跌坐在地上，她覺得自己笨死了，想用手臂支起身子，卻不知是否酒精發作，她竟沒氣力撐起身來，整個人窘得可以。

這時候，一個高大的身軀擋住前面街燈的光線，巨大的黑影完全覆蓋了金莎。

精神渙散的金莎，只看到那男人腳踏一雙好看的麖皮皮鞋。她霍地抬起了雙眼，由於逆光的緣故，完全看不清那人的五官，只見一隻巨大的手掌已緩緩伸到了她面前。

金莎下意識的伸出了手，男人輕輕握著她的手，不費吹灰之力就把她拉了起來，讓她感到無可置疑的安全感。

在印象裡，金莎從沒感受過如此溫暖而徹底地包容她的手掌。

離開公園之後，陸本木送洪卓越到巴士站，候車的時候，他要求洪卓越把那包檸檬味的煙包拿出來，信手就把它擲到站頭的垃圾箱裡。

——有那麼的一刻，他感到自己真像個對弟弟嚴格的好哥哥。

兩人並排背靠在站頭的巨大諾基亞手機廣告海報板前，洪卓越突然問：

「陸學長，你不覺得很奇怪嗎？」

陸本木看看洪卓越，「奇怪甚麼？」

「我們兩個也不抽煙，但竟同樣愛上了一個抽煙的女孩。」

陸本木想了一下，微笑著聳聳肩說：「我總覺得抽煙的女孩很討厭。但不知是否喜歡了她的緣故呢？一根煙夾在她指縫間，連抽煙這回事也變得優雅起來。」

洪卓越認同地點一下頭，他也微笑起來，「我卻這樣想，她雖然長得很漂亮，但一定是活得有點不快樂，所以才會抽起煙來。每次看到她深深釋出一縷煙霧，就像代替了她自己深深嘆一口氣！」他頓一下說：「我甚至懷疑，我是不是由於看到她抽煙的樣子而迷上她。」

這時候，陸本木的手機響起，看到來電顯示是金莎，他當著洪卓越的面接聽了，金莎的聲音很低沉：「陸本木！你死到哪裡去了？你又沒有留下血路，你要我往哪裡找你？你是不是想把我氣死才罷休？」

「我來找妳。」

陸本木掛線後，洪卓越問：「金莎怎麼啦？」

「她心情壞。」

「她會因為失去我而寂寞嗎？我真希望是。」洪卓越有點淒苦的笑了一下，「雖然這個想法很自私，但如果她會因我而失落，就算只是極短暫的一陣子……我仍會覺得自己獲得她足夠的重視！」

陸本木斜眼看著洪卓越，突然之間，他終於相信了，這個學弟真是一則純真傳說。

不知從何時起，他做事變得像蠻牛一樣，看到紅色便一股勁的向前衝。他覺得啊，洪卓越滿以為很自私的想法，對他來説卻是不切實際的。

陸本木認為，要真正得到重視，必須得到對方走到他面前來確認，而不是憑空幻想出來的自以為是——與洪卓越比較起來，他太講求實際了。他決定要追求金莎，很大程度上，正是不想自己的付出付諸流水。

他也知道，他回不到三年前甚或前一些日子，自己早就喪失洪卓越擁有的情懷了。

這時候，巴士來了，洪卓越説：「金莎喝了不少，你快去看她，好好的照顧她。」

「你呢？」陸本木問：「你自己可以嗎？」

「我想通了，從明天起，我會專注學業。在將來的日子裡，我會找個年紀比我小的女生談戀愛。」洪卓越的心情豁然開朗，「因為，在一個姐姐面前，無論我再怎樣努力表現自己，她還是會用一副『你不要再胡鬧了好嗎』的目光看我，我真的怕了。」

陸本木笑笑，聯想到在三個姐姐面前的自己。他喊住了準備上車的洪卓越，「喂！」

「嗯？」

「你去曬一曬太陽、多做運動吧，不要經常像營養不良啊！」陸本木叮囑著說：「女生都喜歡有安全感的男朋友。」

「明白了！」洪卓越臉上回復了稚氣的笑容，在車廂裡不斷向陸本木孩子氣地揮手。

陸本木趕到置地廣場的LV店門前找金莎，她正站在櫥窗前，神情木然。他趕緊走了過去，金莎見到他就罵：「你發甚麼脾氣？說走就走啊？」

「我現在不是回來了！」陸本木指指自己的臉，「給人揍歪了鼻子，心情不好啊！」

金莎猛皺眉頭，「不是真的歪了吧？」

「我的鼻本來就歪，現在給移了位，撥亂反正了啦，哈哈哈！」

金莎伸起腳想用高跟鞋踢他，但她的表情一痛，整個人背靠到玻璃窗前。

陸本木憂心的問：「妳怎麼啦？」

「我扭傷腳踝，走不動了。」金莎說：「送我回家吧。」

陸本木截了計程車，把她送回家。在車途中，金莎把她身邊的車窗全調下來，側著臉看著外面，讓冷風迎面往臉上吹。陸本木注視著倒後鏡中的她，她的表情充滿了落寞。

陸本木知道金莎因為失去了洪卓越而很有點難過，他正色的安慰她說：「算了吧。他努力想去學壞，已盡全力去迎合妳，但妳也不欣賞啊。」

金莎靜默了一下才把臉轉過來，對他說：「或者說，我已經厭倦了純真傳說？」

「才兩個多月，那麼快便厭倦了？」

「事實上，我知道不會和他一起很久。」金莎用說心事的聲音，對陸本木細訴：「那是因為——該怎麼形容才好呢——他是養在魚缸內的淡水魚，我是一潭泥濘。他忽然游進來，我只是覺得他新奇有趣而已，但我再壞也壞不到眼睜睜看著他窒息致死啊！」

「沒關係，我可以陪妳。」陸本木笑了一下，「如果你是一個泥沼，我就是一條泥鰍囉！」

「噁心！我最害怕滑來滑去的泥鰍，牠們總令我毛骨悚然！」她打量了他一眼，「我寧願你是一隻水甴甲！」

「可以啊，要是淪落到做泥鰍，那麼做水甴甲倒也沒甚麼差別了吧！」

「那麼，我批准你來陪我一下啦！」

「謝謝妳啦！」

金莎彷彿十分放心地微笑了一下，她雙眼朦朧地說：「我好累了，借你的肩頭睡一下。」話才說完，她就把頭緊貼到陸本木的肩上，他幾乎可以感受到她整個身子靠過來的重量，與此同時，他有種被託付的真實感覺。

「放心睡，我叫醒妳。」他溫柔地、暗中調整了自己的坐姿，像一張氣墊床般，讓她完全貼服地倚在自己身上。

金莎很快便沉沉睡著了，陸本木不管她滿身酒氣，只知道她此刻需要他。快速開行的計程車把強風扯進了車廂，他給吹得暈頭轉向，金莎也無意識地縮著身子。

陸本木盡量不想弄醒她，他伸長了手臂，繞過她腰前，想替她關上開得老大的窗。就在他的指尖按下電動窗按鍵的一刹，車子剛好拐進一條彎路，金莎的頭一側，嘴唇正好印在他唇上。

陸本木以接近得不能聚焦的近距離注視著金莎，她仍是無知無覺的閉著雙目。他關好了窗，把她的頭輕輕托回他肩膀。

接著，他雙眼望向前方，呆呆的坐著，心跳快得像胸前藏著個隨時要爆炸的炸彈。他從倒後鏡偷看司機，司機也從倒後鏡偷看他，對他豎起了大拇指。

陸本木舔了舔唇，吃吃地笑了，他好不容易才壓制到自己不要興奮大喊。他也好好的告訴自己，這只是一個意外。他會努力的，希望最終能成為光明正大地、在她張開雙眼時親吻她的男人。

我突然之間在想，
跟他在一起，
你是不是想尋回失去了的自己呢？
人之所以喜歡懷舊，
只因總覺得新不如舊。
你大概覺得自己現在過得並不好，
不……是大不如前的壞。

第三章　雷霆傘兵篇Ⅰ

誰也在密切期待那一抹，
從天而降的幸福

放學之後，金莎拉著陸本木到網吧玩上網連線的遊戲。

金莎是個奇怪的女孩，其他女生愛玩那些《戀愛盒子》、《愛神》、《愛情研究院》等編織戀愛夢，又或者可愛少女會讚嘆「卡娃依呢」的網絡遊戲，但她對那些從來提不起興趣，只是獨沽一味的玩殺人遊戲。例如最熱門的《Rainbow Six》、《Counter-Strike》、《Call Of Duty》等，都是她的心頭好。

而且，不要看輕她是女孩子，以為她總會有惻隱之心，她殺人的技術和戰鬥能力，比起大部分男孩子還要高強。

網吧把所有電腦連了線，讓大伙兒能夠一起玩，陸本木最希望能夠跟她歸入同一隊，有了她這名出類拔萃的隊友，可謂穩操勝券。可是，金莎就是很狡猾，她和陸本木去網吧玩，卻硬要與他分成兩隊，好讓她能夠追殺他。他每次也被她超快地幹掉，還要朝他的屍體射上幾槍示威，殘暴得嚇人。

「陸本木，你死得好慘啊！我見到你的血流滿了一地喔！」金莎在她的卡座內叫。

網吧的座位，用辦公室的屏牆分隔。坐在她身邊的陸本木，在子彈橫飛的聲效下，大聲喊著說：「我已經是一條死屍了啦，妳放過我吧！」

「哈！你管得了我？我喜歡怎樣就怎樣！」說罷，她又在伏屍戰壕的陸本木後腦補上一槍。

「可怒也！妳這個殺人如麻的女魔頭！」

陸本木拍案而起，金莎也站起身來，兩人只見到對方的胸部以上位置，金莎微微昂頭的問：「手下敗將，怎麼樣？你死在遊戲裡還不足夠是不是？」

陸本木看到她那張驕縱的臉，突然之間怒氣全消。他心裡不禁驚訝，人的臉孔真是太怪了，人人都有五官，為何只因少那半公分的距離，面前這個女孩就可以變得那麼耀目好看？他心悅誠服的嘆口氣說：「老實說，死得非常滿足！況且，死在妳手上，也沒有甚麼好埋怨的了！」

金莎揚了揚眉，打從心底裡高興起來，但仍是半信半疑的問：「真的嗎？」

「真的！」

「若是真的，就給我發誓啊！」

陸本木即時豎起三隻手指，就要為自己的話起誓，金莎此刻卻開口說：「算了，我根本不相信男人的誓言！」

陸本木被她愚弄得無所適從，只好把三隻手指收起，變成高高舉起了拳頭，對她笑著說：「打倒說謊的男人！」

金莎被他逗得笑了起來，她也振臂高呼：「打倒說謊的男人！」在陽盛陰衰的網吧裡，每個男生都朝她那張天使般的臉孔看，看得目不轉睛。

再來一局的時候，陸本木扭盡六壬地作戰，讓他感到驚喜的是，他平時在全隊人中死得最快，這一次倒是僥倖地捱過了半場，才命喪在金莎槍下。靜待新一局開始之際，他去自助台拿免費紙包飲品，也順道替金莎拿了。

折回來的時候，金莎已經死掉了，她見到陸本木就生氣地說：「我本來會贏，卻被最後一個敵人暗算了！」

陸本木一聽就明白她所指：「對方是用『金手指』（意即必勝方程式）來取勝的嗎？」他放下了飲品，磨拳擦掌的說：「那太缺德了！我上過『女性防狼術』的課，我要替天行道，跟對方理論去！」

金莎聽到他的話，整個人忽然沉默下來，彷彿在深思著甚麼，陸本木再喊她一聲，她才回過神來，「再玩一局吧！或許，我只是被藏身得很巧妙的狙擊手所殺。」

「也好！若是這樣，妳總算遇上超級高手了！」

金莎只是笑了笑，整副心思都飄到老遠，就在這時候，她的手機響起接到短訊的聲音，拿出來一看，她整張臉都亮起來了，在灰沉的網吧裡，有種攝人心神的美。

陸本木一看就知有好事發生了（唉，對他來説或者剛好相反），他忍不住問她何事。

「太奇妙了！」她讚嘆地説。

「不是啦，有人傳訊息給妳，手機響起來，好正常啊！」

金莎瞄了他一眼，「有人語氣好酸哦！」

他揚揚手中的紙包飲品，「都是檸檬茶的錯！」他用力吸一口飲管……

Oh！酸死了！

「你相信心有靈犀嗎？我剛才有一秒鐘想起了一個人，那人在十秒鐘後就傳了短訊給我。」金莎看著手機熒幕，彷佛出神似的説：「如果把傳出短訊所需的十秒鐘也算進去，那麼，我想起的那人，好可能是在同一秒鐘想起了我！」

陸本木聽到她這樣說，百分百可確定對方是男人了！他的心何止像檸檬茶般酸，簡直是倒進了一碗足料廿四味似的苦！他只能勉強點了點頭，當作回應。

「我先走啦！太好了，自從和洪卓越分手後，很久沒約會了！」金莎一邊收拾著書包，一邊對他說：「既然玩不夠一小時也要付一小時的最低消費，你就留下來繼續苦練吧！你那麼快便死掉，如何跟我共度餘生啊？」

「妳真殘忍啊！拉了我來網吧，不足半小時就離棄我了！」陸本木聽到她說很久沒約會，彷彿全盤否定了他追求者的地位似的，他說：「喂！至少也該告訴我，跟妳那麼心有靈犀的人是誰啊？」

她輕描淡寫的說：「尊翔。」

「呵呵呵！他的名字很有明星架勢啊！」陸本木聽到尊翔這名字，顯得更加無可奈何了，「我以前有個藝名，叫彩虹村陳奕迅。但除了這個藝名，他總有其他身分的吧？」

「他真的是尊翔，在台灣拍劇唱歌那個尊翔。」

「好啦，妳不說就算了。」陸本木不勉強她，喃喃自語：「等一會我也約了劉德華打保齡……我有個髮型師朋友，綽號是中環劉德華！」

金莎好像真的生氣了，她把手機遞到他胸前，「你自己看！」他老實不客氣的看了，熒幕上的寄件人沒名字，只有一組不屬於香港地區的電話號碼，訊息是這樣寫的：「金莎，我來香港了，連我的經紀人、工作人員也不知道我的行蹤。我們見個面可以嗎？我在這裡一個人也不認識，好像走入了迷失世界……如果可能的話，一小時後在上次那個公園等好嗎？若妳不方便，我也了解，我見不到妳就會離開。」

陸本木把短訊重複看了幾遍，他心裡半信半疑，但總不可能懷疑金莎患上精神病。他回心一想，忽然想起了她的「10大最愛排行榜」內排第 9 位的「雷霆傘兵」，他整個人就啞然了，沒法子懷疑金莎是說笑或造假了。

雷霆傘兵

如果每個女人，終其一生希望遇上一位完美的男人，我想就是他了。可惜，太完美的東西永遠難以專屬一人。我只知道，他活像個空降的雷霆傘兵，在我的世界裡忽然出現了，又忽然消失，讓我無法預計，也不可加以防備。在行內混得如魚得水的他，最近紅得發紫，與我的距離也愈來愈遠了。接下來的問題是：他會從我的世界正式撤退嗎？

陸本木大大地吞了一下口水，他沒想過她在網上提及的那人竟是紅透台灣的男明星尊翔！這一刻，他終於感到強大威脅和沉重的壓力了，他連忙問：「真是……太奇妙了！你們在哪裡認識的？」

金莎回想，兩人是如何認識的呢？

對啊，想起來，連金莎也覺得這真是一段奇妙的緣分。那是因為，除了歸功於緣分外，很難再有其他解釋了。

兩年前，爆得火紅的台灣四人男子組合「鄰家小子」計劃來香港做宣傳的事，金莎是從同學口中得知的。

她當然看過由「鄰家小子」四子擔綱演出的劇集《叫我大惡魔》。《叫我大惡魔》一劇紅遍中港台，香港大概沒有女生沒看過。相信大部分人也會認同，劇集中最討好的角色，是飾演惡魔似的男主角尊翔。女孩子喜歡尊翔，只因喜歡他既有壞男人的霸氣，同時又具有情聖的特質。

坐在金莎鄰座的女生興奮地説：「金莎，我那天會逃學去機場接『鄰家小子』的機，妳來不來？」

金莎冷笑了一下，不以為然的説：「你以為去機場就能見到『鄰家小子』嗎？他們多數走秘密通道離開，我恐怕妳站了幾小時後，會致電向我哭訴呢！」

鄰座女生完全聽不進耳，情緒高漲的說：「起碼也買個希望啊！」

「相信我，無緣的話，擦身而過也會視而不見。」金莎說：「如果有緣，就算避開對方也會碰見的。」

「鄰家小子」四子訪港那天，班上有幾個女生聯群逃學，金莎當然沒空陪大家瘋，她是那種喜歡明星卻不會去追明星車的人。在午飯時分，金莎收到鄰座女生的來電，她的聲音相當懊惱失望：「我差點見到他們！」

金莎沒聽懂，她問：「差點見到，還是差點見不到啊？」

「當四人一出現，記者呀、電視台主持呀一股腦兒向前衝，前面有幾個白癡少女忽然跌倒了，後面的人被絆倒，人人也像骨牌般倒下，我再站起來時，四人已經離開了，我的鞋子也不知被人踢到哪裡去！」鄰座女生愈說愈氣憤：「我只能依稀看到四人在鎂光燈下掠過的身影而已！」

「不用灰心啊！那是好現象，妳總算看見四人的背影了！」金莎在電話這邊偷笑，「妳下午回校嗎？」

「不，我們租了一天計程車，會整日追著『鄰家小子』的行蹤，希望最終可以遇上他們，得到他們的合照和簽名。」鄰座女生說：「我也會替妳拿的啊！」

金莎無可無不可的聳聳肩，「好啊，那我希望妳有排除萬難的好運氣囉！」

「多謝！」鄰座女生說：「我會人阻殺人，佛阻殺佛！」

金莎還是在笑，「今天鐵定要屍橫遍野了！」

「殺！殺！殺！殺！殺！殺！」鄰座女生近乎瘋狂地喊，金莎在電話這邊打著呵欠。

放學後，金莎想約陸本木去網吧玩連線遊戲，但陸本木要跟他的母親和姐姐們上一個名為「女性防狼術」的課堂，讓金莎傻了眼。陸本木說：「妳要不要來上課？我可替妳報名啊！」她說：「我本身已是一頭女色狼，見男人就咬，嗚——」她扮了幾聲狼嚎。陸本木失笑，「美麗女狼，失敬了！嗚——」

金莎想找別人陪伴，但一時間想不到找誰，於是便獨自走進網吧，開了一個單人卡位，自成一閣的玩著《Rainbow Six》殺人遊戲。雖然她是跟一堆不相識的人玩，但感覺上就像被很多人簇擁著一樣。

網吧早把全場的《Rainbow Six》連線了，金莎隨便加入戰區，等到額滿的時候，戰爭便開始。金莎是個好勝心強的人，而她也自信有好勝的資格。每次跟戰績不俗的陸本木開戰，她也是贏多輸少。

十六人的遊戲，分成每隊八人對戰，她每次總會在自己的隊裡平均擊殺四人或以上，殺敵率達五十個巴仙，隊友會在熒幕上留言讚美：像「Good」或

「Well done」之類，她從不會回應「-6」（意即撞彩）、「Lucky」之類的字句。因為，她總相信那是自己實力的表現，所以，她從不會刻意謙虛，只會簡單地打上一句：「Thx！」

玩了約半小時，敵隊中加入了一個自稱「Fly」的人，第一局便殺了七人，之後每一局也殺五人以上，金莎每次也是莫名其妙慘死在他槍下。令她感到氣憤的是，憑她玩《Rainbow Six》的經驗來看，Fly並非自己肉眼難以看到的狙擊手，對方只是用了「金手指」來取勝而已，根本沒甚麼實力可言。

當金莎一次接一次的死得莫名奇妙，她真的動氣了，一聲不響便站了起來，在場中暗中巡邏，當見到卡座內的人在玩《Rainbow Six》，她便搜索熒幕上對方使用的名字，誓要將明知身在網吧內的這個叫Fly的揪出來。

終於，金莎走到網吧裡燈光最陰暗的一個卡位，她站在卡位的斜後方，留意到這正是Fly本人。她無聲無息地注視著這個無賴的行徑，他走到戰場上無人的一角，只打了一組密碼，整個畫面便出現了特殊的透視效果，所有敵人的蹤跡盡收眼底。

戴著一頂拉得老低的鴨舌帽、把雙眼和半張臉遮蓋住的Fly，嘴角含著笑意，把敵人逐一幹掉。

金莎老實不客氣地坐到那個Fly的卡位上，淡淡地說：「先生，你卑鄙得還算是個男人嗎？」

突然有個人在身邊坐下，Fly嚇得幾乎跳了起來，用驚愕不已的眼神看著金莎，他的眼神簡直有像洗澡時被人衝進來偷窺的恐懼，金莎正想為她自製的惡作劇大笑，但當兩人在那麼近的距離下打了個照面時，她一時間也呆住了，雖然光線不足，而且對方的鴨舌帽也壓得實在很低，但她還是一眼便認出，他就是「鄰家小子」四子中最當紅的尊翔。

尊翔操著國語，聲音有點抖顫，非常牽強地笑著說：「……妳是我的影迷，想要簽名嗎？……我替妳簽吧！」

金莎老老實實的搖了搖頭，她根本不是為此而來。

「妳是跟蹤我的狗仔隊？」尊翔的表情嚴肅起來。

剛才仍是抱著萬分之一懷疑人有相似的金莎，此刻終於確定他是尊翔了。

愛聽國語歌的她因唱K而練就一口流利國語，她說：「不！我剛才跟你一同玩《Rainbow Six》，我屬於敵隊，我很不滿意你用這種卑鄙的方式打贏我！」

她向電腦的透視畫面抬了抬下巴。

「哦，只是這樣嗎？」尊翔頓明一切，他的神情迅即回復了高傲又淡漠，

「我該對妳說抱歉嗎？」

「不是應不應該，是必須。」她說得理直氣壯：「如果你衷心地道歉，我會考慮接受。」

「抱歉！我永遠不會對人家說抱歉！」尊翔牽了牽嘴角，毫不客氣地逐

客：「小姐，妳可以離開我的座位嗎？我根本不認識妳！」

「當然，你是大明星嘛！你眼中有誰？」她冷著臉說：「可是，很抱歉地說，我也不是你的粉絲！」

尊翔瞪著金莎，她滿腔怒氣地站起來，當她走出尊翔的卡座，心裡忽然興起邪惡的念頭，她轉頭，向尊翔的卡座揚聲驚呼起來：「尊翔！你真的是尊翔？」

尊翔不料金莎有此一著，整個人只能愣在座位上瞪著她。

經金莎這樣一嚷，原本把注意力放在電腦熒幕前的顧客，紛紛從卡座上站起來，敏捷地轉過頭來看，有幾個女生發現他竟真是尊翔，雙眼發亮的向他奔過來。

金莎趁著一片混亂，冷笑著逃之夭夭。她返回自己的座位，轉身看看尊翔那邊的座位，竟已圍了超過十多人，而人數陸續在增加中，她想大笑，卻笑不出來，她忽然想到自己這種做法，會否太過分呢？雖然尊翔在遊戲裡使詐，但她令他無法步出這個網吧門口，這個懲罰也太重了點吧？

終於，金莎抓起了書包，很快便想到辦法。來過很多遍的她，偷偷摸到總電製前，一下子把整間網吧的電源關掉，四周頓時陷入一片漆黑，人客們皆發出驚呼聲。她憑記憶衝到尊翔的座位，趁著混亂撥開了眾人，走到尊翔面前，向他伸出了手，急促地說：「跟我走！」

尊翔在黑暗裡注視著金莎，他雙眼像黑鑽般閃閃生光。

「大明星，你要離開還是留下？」

終於，尊翔咬了咬牙，趕緊伸出了手，隨著她衝出重圍。

金莎帶尊翔逃出網吧，兩人在街上左穿右插，身後有幾個少女鍥而不捨地死跟著，連跑了幾條街才甩掉她們，最後他們走到一條有垃圾臭味的橫巷內停下來。當兩人倚在牆壁前，弓著身子大口大口地喘氣時，尊翔忽然大笑起來。

金莎留意到他嘴角流露出一抹滿足的反叛笑容，她忽然明白了他心裡的想法，她也笑了起來，「很好玩吧？」

「從來沒那麼刺激過，連拍爆炸戲時也沒有！」

「剛才我不救你，你一定會慘遭施暴的，還要是死得很難看那種。」

「我該多謝妳嗎？」尊翔不笑了，揚起了兩道劍眉，瞪著她說：「小姐，我給人發現，不就是你害的嗎？」

「哈！我在訓練你的危機意識啊！」金莎掀起嘴角笑了，「現實生活總不如你在戲中那麼順利。」

「說得也對。」他聳了聳肩，靜靜側著頭凝視她兩秒鐘，「不過，我還是想妳向我賠罪。」

金莎看得出他根本沒有責怪自己的意思，只是裝腔作勢提出要求而已。她說：「怎樣謝罪？即管說來聽聽。」

「我要妳當我的導遊。我能夠溜出來的時間，也只得這小半天而已。」尊翔露出一個乾澀沒趣的表情，「我第一次來香港，人生路不熟，只想周圍逛一下。我再過三個小時就得歸隊，第一個宣傳活動要開始了，然後就會馬不停蹄地工作，直至離港為止。」

「你是偷走出來的啊？」

「嗯。」尊翔點點頭。

金莎沒問下去，她只是站到尊翔面前，注視了他一會，用力搖搖頭笑說：「算了吧！以你這副尊容走出去啊，三小時內也只是在不停跟人合照和簽名，根本動彈不得啊！」

尊翔把鴨舌帽拉下了一點，把雙眼完全掩住了，見到的只是鼻樑以下的薄唇和雪白的牙齒，「這樣好了吧？周杰倫也是這副打扮在忠孝東路逛街的啊。」

「放過我吧！」金莎受不了的笑，「在香港這一身打扮，若不是給警察以為你是運毒的道友，就是被女孩子認出你是戴了鴨舌帽的尊翔！」

尊翔聞言，真有點洩氣。

金莎想了一想，「你希望我做你的導遊，但你會依我的話去做嗎？」

尊翔看了她一會，露出一個豁出去也沒甚麼大不了的表情，用力地向她點了點頭。

「這位團友，我們出發了！」金莎邊笑邊說。

「真的沒問題嗎？」

「沒問題啊！」金莎瞧他一眼，馬上又忍不住大笑起來。

「笑甚麼？」尊翔洩氣的嚷道：「既然沒問題，妳笑甚麼？」

「對不起，我只是忍不住。」金莎還是在笑，「我們走吧！」

兩人走出灰暗的橫巷，一走出大街，馬上便引來滿街途人的注目，尊翔不安地說：「這方法真的有效嗎？我感到渾身不自在！」

「但你感覺自由一點了嗎？」

「也有那種感覺！」他點點頭。

金莎見到小熊維尼的臉向自己點頭，又忍不住笑，「有失必有得嘛！」

她剛才走到對街一家玩具店，買了一個《變形金剛》的大黃蜂和小熊維尼面具，然後叫尊翔套上，他對戴面具沒異議，反而對自己要戴上小熊維尼很有意見：「為甚麼我要扮小熊維尼？我喜歡大黃蜂！」金莎笑著說：「現在不是拍戲，你無需戴著面具也要扮英雄啊！」

「我不喜歡小熊維尼！」

「所以你才要戴上它，小熊維尼比你更受歡迎啊！別人看到小熊維尼可愛的臉就笑了，一笑就忘記考究面具下的你是誰了！」

「真的？」

「當然啊！」金莎笑著說，語氣卻是半真半假。

一如金莎所說，途人瞧見戴著面具的尊翔和金莎，初則錯愕，繼而就笑了起來。只露出一雙眼的他，滿有驚喜地說：「想不到這樣逛街，誰也不會靠過來，看來妳的方法真有效！」

「這當然不是主要原因。」金莎用大黃蜂的正義臉孔來取笑他：「最大的原因，是他們以為他們見到的是兩個超級白癡！換作是我也會避之則吉啊！」

「妳——」他氣壞了。

兩人剛好路過一對情侶身邊，金莎聽到男的說：「好一對神經俠侶！」

女生則說：「我們要不要向精神病院報告一下？」

「精神病院也不會相信有這回事！」兩人的聲音遠去。

金莎一早笑死了，她提議說：「我們去『掃街』吧！」

「不，我扮演小熊維尼已夠糟了！」小熊維尼猛搖著它的熊頭，「我不要再扮清道夫！」

金莎幾乎給笑死了，「『掃街』在香港俗語的意思，除了指清道夫，還有『吃遍街上小吃』的意思啊！」

尊翔恍然大悟，他用力點點頭，連眼睛都像會笑似的。

兩人開始在旺角「掃街」，買了十袋八袋食物後，在滿是奕棋大叔和垂死阿伯的小公園裡，兩人脱下了面具，急不及待地吃起來。尊翔是真的吃得津津有味，甚麼龍蝦丸呀、臭豆腐呀、雞蛋仔呀、夾餅呀一邊往嘴裡塞，一邊讚嘆著好吃。

直至他咬了一口燒賣，才苦起臉說：「這個我不喜歡。」他看了看金莎手中的炸大腸，「可以跟妳交換嗎？妳手上那個真好吃。」

「可以啊。」

兩人就交換來吃了，他吃得滿嘴都是醬油，但他根本就逍遙得不想理會。

金莎看著身旁吃碗仔翅吃得簡直不顧儀態的他，很能感覺到真實世界裡的他，原來是如此不拘小節和豪邁爽朗的，也不如劇集裡或不少報導中的叛逆囂張。而這種突然的認知，讓應該是差天共地的兩人，距離一下子拉近了很多。

當兩人吃了個飽，停下口時，正好是黃昏，帶著微溫的光線照在身上，讓兩人感到平靜又舒適。

尊翔忽然無限感慨的說：「我到過很多國家工作，甚麼昂貴的東西都吃過了，卻吃不到那麼好吃的街頭小食！」

「你現在是電視劇集和唱片的收視保證，萬一吃壞了肚子，工作停下了怎麼辦？」金莎說：「哈！想起來，你簡直就像瀕危的受保護動物啊！」

尊翔口裡咬著竹籤，反叛男主角的感覺又回來了，他猛皺起眉說：「妳不用說得那麼坦白吧？」

「但你承認那是事實嗎？」

「我不能否認。」

金莎突然問他：「你知道做人最悲哀的是甚麼嗎？」

尊翔好好地想了一下，「得不到別人賞識？」

「不，那是很貼近理想的想法，做人最悲哀的是——」金莎瞇起雙眼，有感而發的說：「**你站在自己賞識的人面前，你以為他也正在看你，然後你突然發覺，他的眼神其實早已穿透了你，你從來沒有在他心中存在過。**」

尊翔嘆了口氣，牽了牽嘴角，「嗯，那才是真正的悲哀。」

「你太幸運，你沒遇過。」

他沉默半晌才說：「不，我遇過了。」

金莎伸了一個懶腰，「我不是記者，不是跟你在做明星專訪，你不用故意討好我了。」

「不，我真有遇過，但我從來沒告訴過別人。」尊翔神情認真地說：「那個時候，我喜歡了一個女孩，我相信她也對我有好感吧？我知道她的男友打了她，我便衝動得走去打那男人，我也給他打傷了。我和他住同一所醫院，但她從來沒有來看我，最後他們的感情轉好了。我一直在想，應該是我撮合了他們。」

「好可憐。」金莎遺憾地說：「想不到你也會遇上這種事。」

尊翔發了一陣子呆，從衣袋裡取出煙包，正要點煙，才記起問金莎：「不介意我抽煙嗎？」

「介意啊。」她覺得這真像電視劇集裡面的對白：「假如你沒有給我一根。」

他便給了她一根煙，替她點了火，兩人就這樣沉默下來，各自在抽自己的煙，但彼此各自懷著的悲傷就像上升的煙霧，一定有一部分重疊了。

金莎隔了很久才說：「你成名後，沒有再找她。」那其實不是一個問題。

「沒有。」尊翔回憶著說：「相反地，她找過我一次，但我沒有回覆她……不是因為我已成名，只是……很多事情不能回頭了。」

「你有聽過一句話嗎？『不要因為一段感情的完結而哭，應該因為它曾發生過而微笑。』」金莎說。

這時候，尊翔的手機石破天驚地響了起來，他拿著電話，神情頃刻充滿了落寞，猶豫著要不要接聽。

「是誰打來？」

「他們發現我不在酒店房間了。」

「你也該回去了。」金莎簡單地說：「你們整個團體一起來，總不能少了你一個。」

「妳說得對。」尊翔打起精神，「再胡鬧下去，我真是太自私了。」於是，他接聽了電話，答應電話那頭的人，他會在半小時內趕回去。

金莎把尊翔送上了計程車，在車廂裡，他把手機遞給她，她反應很快的搖了搖頭，「我自己也有手機，不用送我一部了。」

她這話把尊翔弄得不知如何是好，她不會不明白他的意思吧，他有點尷尬地說明：「給我輸入妳的電話號碼吧。」

「你相信你真會致電給我？」金莎不禁懷疑地問。

尊翔點了點頭，由衷地說：「我相信我真會致電給妳。」

金莎就老實地給他電話號碼了，尊翔顯得有點奇怪地問：「你不要我的電話號碼？」

「不用了，我沒打算找你拍戲啊。」她說：「要是想找你吃一頓間飯，又害怕給狗仔隊登到雜誌封面，真的犯不著這樣冒險吧？」

尊翔皺起鼻子失笑了，兩頰露出深深的酒渦，「嗯，明白了，我居然被拒絕了呢！」他從金莎手中接回手機。

金莎向司機說了他下榻的酒店，就笑笑的替他關上了車門。

兩人隔著玻璃窗，以目光為對方送別，尊翔向她溫柔地點頭道謝，讓她活像電視劇集裡的女主角一樣，心裡從此多了一個如像傘兵的他，匆匆地從天而降之後，又匆匆離去。

也因此，兩年後的這一天，當她忽然接到了尊翔的短訊，告知他來了香港，她才會顯得那麼的歡喜若狂。

有些幸福是自找的，
有些幸福會從天而降。
相對於被動的仰天守望，
我更希望主動爭取我想要的幸福，
理由再簡單不過，
只有流過辛勞的汗，
每點斑駁才有了出處。

第四章　雷霆傘兵篇II

就是要擺出一副欠揍的樣子，
讓大人看不過眼

當陸本木得知金莎真要赴大明星的約會，他的心情變得大為緊張，真害怕一見面她就被對方吃定了！

不過，這還不算恐怖，他更害怕金莎一見面就吃掉尊翔！畢竟他是個萬人迷啊！

不知怎的，陸本木竟然遷怒於金莎，他抱怨地說：「喂喂喂！妳碰見了大明星，卻沒有跟我提過半句！」

「我當時是在生你的氣啊！」她第一時間反駁說：「真討厭你那天竟然選擇去做色狼，也不肯陪伴我。」

「哎喲，我當時不去，鐵定會給我三個姐姐打死的啊！我兩邊不討好，裡外不是人，你將我撕開兩半好了！」他苦笑起來，「這樣吧，我把下半身分給妳吧！」

「去死啦你！」她笑了。

「真氣人，為何妳經常有豔遇，我卻從來沒有！」

她嘆息的說：「哎喲！回想起來，如果你當時跟我一起到網吧，我大概不會結識到尊翔。」

陸本木更洩氣了，「那麼，是我對妳疏忽照顧使你倆認識的嗎？」

「你現在害怕了吧？」她看了看手錶，愉快地說：「好啦！不說了，我要出發啦，拜拜囉！」

「拜拜囉。」他鼓起了腮，好像一尾金魚似的說。

就這樣，金莎出發赴約去了，留下陸本木在網吧，將悲痛化為力量，大發神威的殺死N個敵人，取得空前的勝利（首度），可是，沒有金莎在場，他忽然有「沒有妳，贏了世界又如何」的感慨，始終無法盡情展露歡顏。

就在這時候，他的手機響起，是金莎來電。他趕緊接聽，但又用故作平淡的聲音說：「怎樣了？巨星失約了嗎？」

「不是啦！我和他的約會很愉快！」金莎聲音急促地說：「可是——」

「他想淫辱你嗎？」陸本木兩管鼻孔在噴氣，「我早知那些明星俊男，統統都是淫魔！」

「你的想像力太豐富了！」她苦惱地叫道：「我倆是被困了，簡直是四面楚歌，你快來救我們！」

陸本木嘆了一聲，奇怪地有點猶豫不決，他說：「這個——」

「馬上趕來！」金莎第一時間就生氣起來了，「你要記住，是你欠我的！」

「是啦，我不會忘記啦。」陸本木想起當時虧欠她的事，也就不敢推辭，馬上問：「妳在哪裡？我來找妳！」

陸本木掛上電話，用他尚算精密的腦袋想了幾秒鐘，再上網五分鐘，就全副武裝出發了。他在車廂裡一直想，他何以猶豫要不要幫忙？最主要的原因，只是出於妒忌而已！

說出來很可笑，但也不妨偷偷地說，但他真的妒忌尊翔的俊美，每次見到電視劇集裡的尊翔，又或報紙上尊翔的照片，他也不禁譁然：Jesus Christ（意思是指主耶穌基督，不是尊翔的洋名）！世上怎會有這種樣貌精緻得像女人的男人啊？

最想不到的是，他忽然要近距離面對這個本來遙不可及的明星級數情敵，真的令他喘不過氣來。

按照金莎的指示，陸本木走到兩人被困的那家卡拉OK。

在走到金莎的房號之前，他先在走廊巡視一圈，發現每條通道的出口，也有一兩名少女守著，每個人也金睛火眼地留意著進出的客人，走廊上亦見到幾名正在竊竊私語的妙齡少女，透過每個房間門上的小窗往內張望，他知道這回真有麻煩了。

他趕快離開走廊，在金莎的房門前敲了三長兩短的暗號，她打開門接應他，但他卻見不到尊翔。

陸本木快速地說：「他在哪裡？」

金莎指指房間裡附著的廁所。

「妳明知來這些地方玩樂，他最容易被發現的啊！」陸本木搖頭，「一旦被人發現了，就好像困獸鬥，想走出去太困難了！」

「我已經是獨自上來登記的了，登記好才帶他進卡拉OK房。職員們忙著招呼其他客人，本來沒人發現。」金莎神情非常煩躁無奈，「只是，走在狹窄的走廊上時，有個喝得醉醺醺的少女迎面撞倒了尊翔，因為撞擊猛烈，他脫口問了她一句：『妳沒事嗎？』可能是他說的國語洩了底吧，那個少女帶著疑惑又震驚的眼光看著他，我馬上就拉他走了，但我很快便發現她已通知了朋友，她們現在發散人馬在找他了。」

陸本木問：「那個尊翔縮在廁所裡做甚麼？嚇得拉肚子了啊？」

「我叫他進去迴避一下。」

「避得了多久啊？他又不懂挖地洞逃走！萬一少女們向雜誌社通風報訊，這裡隨時會被記者全面封鎖，麻煩更大了。」他想了一想便說：「我去跟他談談。」

「我替你們作介紹吧。」

「不用了，我要獨闖龍潭……不，我自己跟他談！」

陸本木敲了敲門後，就打開了廁所門。他見到靠在洗手盆前抽煙的尊翔，在煙霧瀰漫、充滿煙草味的密閉空間，兩人皆用沉默的眼神注視著對方，像極了吳宇森英雄片內的兩雄對決（白鴿很快會慢動作飛出來）。

「我是金莎的朋友，陸——本——木——」他說出自己名字的時候，強調似的拉長了尾音，彷彿要向尊翔示威。他頓了一頓說：「情況危急，我只問一句，你相信我嗎？」

頭戴漁夫帽的尊翔，用一雙彷彿會說話的眼睛注視著他，然後，他彷彿完全不用開口似的，單憑眼神就回答了陸本木的問題。

五分鐘後，依照陸本木的計劃，尊翔用幾張抹手紙掩住了口鼻，隨金莎急步衝出房間，兩人在恍如迷宮似的卡拉OK走廊上快步走著，即將走到盡頭的出口前，卻與幾個少女碰個正著。雙方距離只餘下十多呎，金莎急忙帶著尊翔折回，虎視眈眈的少女們忽然爆出了一下驚呼聲，她們一呼百應，踏著忙亂的腳步追趕兩人，在走廊上繞了一個大圈，兩人還是被逼得折回房間。

金莎還沒趕得及關上房門，少女們已大軍壓境，強行推門走進房間內，「尊翔！尊翔！」的叫。尊翔想逃進廁所，一名少女已眼明手快地扯著他的背心，把他硬拉回來，尊翔頃刻被少女們包圍著，嚇得連忙縮下了頭，連漁夫帽也被搶走了。

「我受夠了！不要再跟蹤我啦！」尊翔用爛透的國語高聲地說：「我給妳們簽名就是！」

語畢，他站了起來，用他終極俊俏的臉孔環視著少女們。當她們看清尊翔的樣貌後，皆露出愕然的神色，然後，一同把目光轉向剛才碰見尊翔的少女，用失望的聲調問道：「他是尊翔？妳真的喝醉了啊！」

「尊翔」認出了那少女，他雙目放電的說：「我記起了，我剛才在走廊撞到妳，先替妳簽名！」

那臉上仍帶醉態的少女，不知所措地說：「我真的看到了……不，我以為……他是尊翔！」

「他是尊翔啊！別人都把我男友稱為香港版尊翔！」金莎抱不平地說：「好吧！不相信我？翔翔！唱一首『鄰家小子』的金曲〈超想咬你〉給她們聽！」

少女們一哄而散，邊走邊埋怨那喝醉了的少女，少女欲辯無從。「尊翔」

拿起咪高峰喊：「HK的粉絲們，妳們留下啊！我還沒有開始表演耶！」不知從哪裡飛過來的漁夫帽正好擲回他臉上，誰也沒有再瞧他半眼。

等大伙兒散去後，陸本木和金莎雙雙捧著腹，在沙發上笑死了。陸本木邊抹著淚水邊說：「A計劃成功，B計劃在十分鐘後進行！」他又笑，「喂，妳還不快看看台版尊翔有沒有在廁所給悶死了！」

十分鐘之後，金莎結了賬，跟陸本木兩人各挾著尊翔一條臂膀走出走廊。尊翔換過陸本木匆匆買來的一身hip hop衣服，走路左搖右擺、頭顱軟軟地垂著。每當有人迎面走過時，陸本木遠遠就揚手示意對方讓路，每個人見到二人拖著一個爛醉又一副隨時要嘔吐的酒鬼，全都退避三舍。

順利地逃出卡拉OK，三人到了附近一個公園才停下來，大家皆跑至透不過氣，金莎更因興奮過度而雙頰緋紅了一片。經過剛才的共同歷險，三人變得接近了，他們互相對望著，忽然都忍不住笑起來。尊翔首先開口，對陸本木讚賞地說：「你的演技真好！」

「不夠你演得逼真啊！」陸本木笑，「你真的好像喝了五公升的紅高粱！」

金莎對尊翔說：「你剛才在廁所裡，沒看到陸本木模仿你的樣子，簡直是活靈活現，一大群少女也給他騙倒了！」

「真的嗎？」尊翔揚起眉，一雙眉清秀得像一幅畫。

「我也是臨時補課的。」陸本木說：「臨走出網吧前，我上網看了五分鐘的 Youtube，參考了尊翔在劇集裡的動作和說話神態嘛！」

尊翔由衷地說：「謝啦！」

「不客氣！」陸本木說。

共過患難的三人，好像從戰場中逃出來的戰友，彼此熟悉地笑了起來。

天已全黑，三人遠遠看到一群少年在公園的梯階前玩滑板，尊翔看得入神，注視著少年們成功飛越樓梯或失敗了再來一遍。他對兩人說：「以前我最喜歡在西門町玩滑板，好懷念那段日子！真想痛痛快快再玩一場！」

「那就痛痛快快再玩一場啊！」金莎說得簡單直接：「也許，在公眾場合玩會為你帶來不便，但除了你自己以外，誰又阻得了你？」

「是我自己提不起勁去玩，好像甚麼也害怕失敗似的。」尊翔看看金莎，又看看陸本木，反問兩人：「我總懷疑，這是不是自己在某一方面取得成就後的後遺症？」

金莎一下子無言，她跟尊翔一樣，把目光轉到陸本木身上。

「你倆盯著我幹麼？我在各方面也沒有成就啊！」陸本木怪叫了起來：「除非，我在 eBay 成功拍賣了我的舊 iPod……但那也算是成就嗎？」

尊翔一臉認真地說：「當然算是成就！我也有兩部舊Game Boy賣不出去啊！」

陸本木高興起來，對尊翔說：「依我的想法啊，別人把你當作偶像，固然求之不得啦！不過，如果你也把自己當成偶像的話，便完全沒有了自己的生活了！」

金莎接腔：「正如你玩《Rainbox Six》，蹲在一角鬼鬼祟祟的玩方程式，不也是逃避的一種嗎？」

「妳找到機會挖苦我啦！」尊翔搖頭擺腦地苦笑了。

金莎理直氣壯地說：「你不是想做普通人嗎？所以，我就用普通人的方式對待你啊！」

陸本木告訴尊翔：「我可證實她的話，我也經常捱罵。」

金莎瞪眼，「你們那麼快便同聲同氣了啊！」

尊翔和陸本木異口同聲，一個用國語一個用廣東話，分秒不差的道：「沒這回事！」兩人說後均失笑地閉上嘴巴。

後來，滑板少年離開了，看得出尊翔也累極了，金莎問他：「對啊，你在哪家酒店下榻？」

尊翔搖了搖頭，「我還未找住宿。」

金莎出奇的問：「你的行李呢？」

「全在這裡了。」尊翔拍拍他那個輕便背包。

陸本木和金莎面面相覷，彷彿也能感受到尊翔的一言難盡。過了片刻，金莎開口：「就算小陸或我替你登記入住酒店，但你始終也要親自出入，隨時會給發現的。既然如此，不如你來我家留宿吧。我家裡只有我和母親，有一間多出來的客房，你在裡面睡，我母親應該不會察覺的。」

陸本木給她嚇傻了，讓金莎和尊翔同處一室，最後保證會變成浪漫滿屋的啦！他衝口而出：「不可以！」

「你慘叫甚麼！」金莎問：「為甚麼不可以？」

「因為……因為……那是因為……保安問題！最安全的地方，永遠最危險！」他一疊聲的、嘩啦嘩啦地說：「萬一被妳家大廈的護衛員啊、鄰居啊、鄰居養的貓貓狗狗發現了他，跟著向那些報紙的爆料熱線報告，狗仔隊拍到他從妳家走出來，那就真是污水處理廠也洗不清了！」

「小陸說得對。」尊翔同意陸本木的話，對金莎說：「住的方面，我自己會想辦法的了。」

「你隻身來到香港，對這裡一無所知，想甚麼鬼辦法！」金莎搖搖頭，轉向陸本木說：「對啊！小陸，你家方便嗎？」

尊翔正想說甚麼婉拒的話，陸本木在此時卻說：「——方便啊！」他頓了一下，望著尊翔說：「你來我家作客，我會感到很光榮！」

尊翔凝視著他，兩人交換了一下眼神，尊翔改口說：「太好了！這也是我的榮幸！」

金莎跟兩人道別，臨走前千叮萬囑陸本木要好好照顧尊翔，他也認真答應了。兩人同行的時候，尊翔看了陸本木一眼，「幸好你替我解圍，我剛才差點給她的提議嚇壞了！」

「我根本就給她嚇壞了啦！」

「你這個人倒也老實啊。」尊翔寬心笑了。

「但我的家很小，只怕你會嫌棄。」

「你真的讓我住在你家？」尊翔的神情充滿錯愕，「我以為你只是說說而已，我已準備去找地方……如果你是為了對金莎的承諾——」

「有一半確是這樣。」陸本木微笑著搖頭，簡單地打斷他的話：「另一半是你比我想像中容易相處得多。因此，我想正式邀請你來我家作客。」

尊翔真正感動地笑了，「那麻煩你了。」

陸本木帶尊翔回到家時，已接近晚上十一時了。他知道在這個時間，每天要上早班的母親和三姐該已休息了，把家當作工作室的大姐則是未知之數。他先叫尊翔在走廊等一下，當他入屋的時候，看到母親和三姐的房門關上了，大姐則在廚房內不知弄著甚麼，正好背對著門，這叫他感到機會難逢，馬上揮手叫尊翔偷偷進來，示意他穿過客廳，直走進自己的房間，而他也快手快腳的關上了大門。

陸本木瞧見尊翔環視著他那五十呎不到、雜物亂放的房間，自己也不好意思起來，「真是慚愧死，我的房間——」

尊翔忽然雙眼發亮，逕自向他的電腦桌走了過去，蹲下身從桌邊拾起了一塊擱起了的滑板，語氣驚異的說：「你有這個品牌在二十周年出產的滑板！」

「對啊！它用了我整個月的零用錢！」陸本木被稱讚得高興起來。

「我找了它很久！」尊翔愛不釋手地研究著它，「我找遍了整個台灣也買不到！拜託了很多朋友也找不到！」

「我跟運動店的老闆超熟絡，所以他才留了一塊給我。」陸本木走過來，反過板底給他看，指著那個「0518」的號碼，像個售貨員般推銷說：「全球只生產一千塊，每塊也有獨立編號！」

「太羨慕你了！」尊翔捧起滑板，像看甚麼藝術品般仔細端詳。他試著問：「你肯割愛嗎？」

「不肯。」

尊翔明白地苦笑，「換作我也不肯。」

這時候，門外傳來大姐粗聲粗氣的聲音：「陸本木，出來！」

陸本木和尊翔同時給嚇了一跳，陸本木走近房門，揚聲說：「大姐，甚麼事？」

大姐的脾氣馬上來了：「你隔著門跟我說話，一點禮貌也沒有，開門再說！」

他為難起來，用手勢示意尊翔千萬別作聲。他打開一條幼幼的門縫，問大姐怎麼了，她說：「媽和你三姐明天放假，等一下打麻將。我煮了糖水，出來吃。」

「這樣嗎？但我……今晚有功課要趕！」

大姐看著弟弟緊張的表情，即時懷疑起來，「你神神秘秘的在幹甚麼？」

她猛地伸手用力推門，把門縫推闊了一點，本來已匿藏在房間一角的尊翔害怕給她看見，將身子盡量貼往牆壁，手肘卻不小心碰到掛在牆壁上的蜘蛛俠掛布，它掉到地上，發出一下悶響。

大姐問：「甚麼聲音？」

「我的書掉下來了。」

這時候，放了半輩子的陳年掛布揚起了很多灰塵，尊翔怎麼忍也忍不住，非常不合時宜的打了個噴嚏。

大姐的耳朵很靈，她說：「哼！你的書患了感冒嗎？快出來！請你的朋友也出來吧！」她瞪著他，忽然小聲的說：「你帶了女孩子回來留宿嗎？為免你像房祖明般搞大了人家的肚子，限你三分鐘內出來！」

「房祖明搞大了誰的肚子啊？」他問。

「薛凱琪！」

陸本木重新關上了門，面對尊翔，整個人不知所措起來，他看看窗，總不能叫尊翔扮蜘蛛俠，這可是十八樓啊！他只好憂愁地說：「真抱歉！連累你失手被擒！」

「沒關係，真的。」尊翔反過來安慰他：「這是你家啊，我來作客，也準備了見見你家人。」

陸本木長嘆一聲：「那麼，你準備好了嗎？」

「Action！」尊翔微笑了。

陸本木推開房門走出客廳，看見母親和兩個姐姐正坐在沙發上，眼睛盯住電視機，他瞄一下熒光幕，天意弄人，三人正好看著尊翔主演的最新台劇，茶几上大剌剌地擺放著大陸盜版的DVD盒子。

真的好到了極點！尾隨著他出來的尊翔，一定也看到了……這一幕好有喜劇效果啊！

「各位觀眾——」他硬著頭皮說：「我帶了朋友來。」

手裡捧著糖水的三人一同轉過頭來，金睛火眼地望著陸本木身後，期望看到最佳女主角的真貌。陸本木尷尷尬尬的閃開身子，站在他身後的尊翔便展現在三人眼前。

尊翔用國語溫柔地說：「妳們好！我是小陸的朋友，我的名字是尊翔。」

母親和姐姐們一同凝視著尊翔，三人皆以為自己眼花，更懷疑是集體撞邪了！大家不約而同地回頭看看電視內的尊翔，再對照著面前距離十呎不到的尊翔。三張臉孔一片惘然，誰也不敢作聲，彷彿要考自己眼力，眼前疑似尊翔的人，到底是哪個「磚牆」假扮的一樣。

陸本木只好解開她們心裡心裡一個謎，「尊翔是台灣人，職業是位巨星……不，演員。」

三姐率先驚叫起來，她用大得可以拆樓的聲音說：「你真的是那個尊翔！」

陸本木差點要走過去割斷她喉嚨，尊翔對這種反應見怪不怪，他微笑著說：「是啊，我真是那個尊翔！」

三姐突然好像呼吸困難般，喘著氣說：「你……你……你真人比上鏡更……上鏡哦！」

他全盤接受地說：「謝謝！」

陸本木指指她的臉，「三姐，妳嘴角掛著一條海藻。」

三姐馬上掩著嘴巴，整張臉紅透了，「太不好意思了！我出醜了！」她連奔帶滾的衝回房間。

母親凝視著尊翔，用相當疑惑的聲音問：「你真是小陸的朋友？」

「對啊。」

「小陸這次真是光宗耀祖了！」母親突然眼泛淚光的說。

「媽！」甚麼意思啊，連母親也失常性了啊？

性格一向兇巴巴的大姐，此刻已回復冷靜。她站了起來，用主人家的身分，用硬幫幫的語氣招呼尊翔：「尊先生，我剛煮了糖水，拿一碗給你。」

尊翔欣然地點頭笑了，「姊，叫我小尊。」

電視還在播著尊翔主演的電視劇，尊翔正情深款款地跟女主角調情。尊翔對此好像沒有感覺，明星們大概也是自戀的吧？倒是陸本木愈看愈毛骨悚然。他以徵詢的語氣問道：「各位，我們看別的節目好不好？」

母親轉到另一個電視台，正播著「鄰家小子」世界巡迴演唱會。心情無奈的陸本木與心情輕鬆的尊翔一同乖乖吃綠豆沙。尊翔稱讚大姐的廚藝，她只是牽牽嘴角冷笑一下，態度很有點拒人千里。

這個時候，三姐從房間走出來了，陸本木差點把口裡的綠豆沙直噴出來，她穿了只有在聖誕節和情人節才會穿的紅色套裙。他駭然地問：「三姐，妳要去參加 Clubing 啊？」

三姐完全不管全家人的目瞪口呆，黏上超長假睫毛的她，凝視著尊翔，無限嬌媚地說：「我平常也是這樣穿的啦。」她化的妝，濃得可以直接走去紅館登台。

陸本木看看時鐘，已接近凌晨時分，他忠告三姐：「那麼，妳最好不要上街了，免得街坊們以為活見鬼！」

尊翔聽到這話，邊吃糖水邊偷笑。

三姐看到電視在播「鄰家小子」那首獲獎無數的金曲，興奮地說：「小尊，我太愛這首歌了，家裡也有這首卡拉OK。不如，我跟你合唱？」

陸本木好像做了尊翔的經理人，他馬上開口制止：「尊翔今天舟車勞頓，要讓他休息了……對啊，妳們今晚不是想打麻將的嗎？我們快開始啊！」

尊翔這時候放下碗，滿臉滋味的樣子，他心情似乎真的十分愉快，「我也可以參與嗎？」

家裡四人面面相覷。尊翔好像害怕被拒，他強調著說：「我懂得玩台灣麻將，香港麻將應該也相差不遠吧？我不會敗了大家興致的！」他雙眼閃呀閃的，活潑地道：「不用擔心啦，我學東西是蠻快的！」

陸本木教會尊翔一些香港麻將的規則後，就與他一組，陪坐在他身邊，讓他上場玩。母親是個慢郎中，正好讓未熟習的尊翔有練習的機會。三姐坐尊翔的上家，一直給尊翔鬆章，讓他頻頻吃糊。大姐又生氣了，她說：「喂，陸帶娣，妳做慈善表演啊？」

打完四圈的時候，尊翔要上廁所，紅衣的三姐搶著說：「我帶你去。」

「三姐啊！廁所就在十五公呎之內啦！」陸本木提醒她。

「小尊可能有甚麼需要呢！」

「我只是去小便而已。」尊翔說。

陸本木饒有默契地接腔：「我姐姐幫得上忙嗎？」

三姐不敢做聲，一張臉紅得像一枚士多啤梨。

當尊翔去了廁所，母親和三姐猛拉著陸本木，質問他怎會認識這位天王巨星，陸本木只好老實地向她們簡述經過。三姐興奮莫名的說：「這真是個千載難逢的機會啊！我今晚一定要——」

「嘩！三姐，妳先clam down下來！妳想幹甚麼？學湯唯色誘他？」

「不啦！我一定要多看他幾眼。」三姐用舌尖舔舔上唇，害羞地說：「那麼，我便心滿意足了！」

陸本木卻不這樣想。

「我近看他的臉，居然看不到他的毛孔！」母親也露出一副懷春少女的表情，春風滿面的說：「我好像在看杜莎夫人蠟像館內的蠟像！」

「小陸，想起來，這也太可怕了吧？」三姐好像冷靜了一點，她拉著他的臂，憂心忡忡的說：「金莎居然認識了尊翔，而尊翔只在她的榜中排名第9位！那麼，排在上面的到底是甚麼厲害的男人啊？」

陸本木用雙手掩著臉，逃避這個他一早想過的憂慮，「我已經不敢想像了。」

這個時候，大姐向他大潑冷水，她冷冷地說：「我一直覺得，金莎這個女孩對感情完全不認真！她瘋得弄了個甚麼金榜，你卻陪她一起瘋，她最後一定會拖垮了你！」

陸本木為了維護金莎，忍住脾氣的說：「大姐，妳根本不認識金莎，妳對她的評語是否太武斷了？」一早說過了，一直以來，沒一件事大姐覺得他做得對。

大姐毫不客氣地說：「沒問題！你可把她帶到我面前，我會用這番話，直接跟她說一遍！」

陸本木還想反駁甚麼，尊翔卻剛好從廁所出來，他只好合起嘴巴，他可不想在客人面前丟盡全家人的面子。

繼續竹戰的時候，三姐饒有興趣地問：「對啊，小尊，你這次來香港是為了工作嗎？」

尊翔簡單地搖了搖頭，「不是，沒人知道我來香港。」

「我明白啦，那麼，你是秘密觀光啦。」三姐提早做夢的說：「你打算去海洋公園、迪士尼、昂平纜車、天壇大佛？觀光的人都愛去那些地方，我明天放假，大可做你的嚮導啊！」

「我還沒有打算……我也不知何去何從。」尊翔說著，眉宇之間浮現了一抹憂鬱。他看著眼前的十四隻牌，眼神變得遙遠，彷彿忘記要發牌。過了好一會，他自我安慰似地一笑，「我也不是來觀光，只是工作很不愉快，所以偷走出來，故意令所有人找不到我。」他隨手打出一隻索子。

「吃糊！」大姐把清一色的索子攤出來，出沖的尊翔全賠了。

洗牌的時候，三姐關心地問：「小尊，你工作有甚麼不快，說出來聽聽啊！」想不到母親也即時開了口，她深感興趣的說：「對啊！大家可以分擔一下嘛！」

陸本木給她們嚇壞了，原來英俊的男人憂愁起來真不得了，會令女人們都發揮母性。

尊翔努力地洗牌，始終沒正面說出問題，他只是很苦澀地笑了一下，「那些不愉快……說出來太無聊了。」

「不無聊啊！誰會每天都稱心如意！只有把不開心的事說出來，心情才會輕鬆下來嘛！」三姐問母親：「媽，妳最近在工作上有甚麼不快？」

「我嗎？」母親嘆口氣，用埋怨的語氣說：「我的公司最近又裁員，說是精簡人手，把離職的人留下的工作分派給各個員工，我每天本來要處理兩份會計的文件，現增至五份，工作量多到上班時間內根本不可能做完，加班卻沒加薪，老花眼鏡的度數倒是加了再加！」

三姐看看大姐，她板著臉的在疊牌，她轉問陸本木：「小陸你呢？你最近在學業上有甚麼不快？」

陸本木想了一想，他有件事不吐不快：「我修讀的其中一個科目要做專題報告，由老師指派，三人一組，眼看功課到死線了，有個白癡同學卻一直推說自己無時無刻也在補習，然後就整天關上手機，也不上網，怎樣也找不著他，我們兩個可憐人可以做甚麼？唯有硬著頭皮把報告趕好了，更得到了相當不錯的成績。那個白癡根本半點沒參與，就不勞而穫的分享了成果！」

三姐一邊聽一邊點頭，她說：「我也來說說工作上的不快吧！我的電梯經常擠滿人——」陸本木見尊翔聽得有點迷茫，於是告訴他三姐是大百貨公司的電梯小姐，他便明白地點頭。「——大家也不肯聽從我的分配，一窩蜂的湧了入來，令客滿的警號響起，我只好把顧客請出去，但一對男女各不相讓，就站在門前吵起來了。主任走過來，竟說是我處理不善，要我向他們道歉，我只好息事寧人的忍耐著……但我事後愈想愈難過，我當時為何要道歉？我做錯了甚麼？」

尊翔看著一臉氣憤的三姐，忽然開口了：「也該輪到我來說說工作上的不快了，可以嗎？」

三姐、陸本木等無不同意的點了點頭。

「我正在拍攝新的愛情劇集，我的對手是偶像劇女王。她面對觀眾時笑容可掬，工作時的態度卻是超級惡劣、最愛擺架子。我們在劇中扮演甜蜜的情侶，但導演一喊停，我倆就各不理睬了，一句話也沒有。她知道我看她不順眼，而我也不隱瞞。」尊翔臉上突然浮現一抹陰影，「今天早上，我們拍一場戲，講述女主角要摑男主角一巴掌，然後一個鏡頭直落的說一番痛罵我的話。我希望導演用鏡頭遷就，導演卻拒絕了，要求我們來真的。我就這樣給她真的掌摑了，而且還NG了十幾次！她不是掌摑得不夠漂亮，就是之後的對白說不好，我被她打得暈頭轉向。我看著她的眼神，就知道她是故意的。」

三姐一邊靜靜地聽著，眼裡竟充滿了憐惜的淚光。

尊翔定定地注視著桌上一隻反轉了的筒子，過半晌才說道。「最後，這個鏡頭一直沒拍成，明早還會繼續……我今天一直感到很委屈，我知道自己再也受不了，如果明天還得在大伙兒面前再度接受她的侮辱……所以，我走到一個誰也找不到我的地方。」

一直沉默著的大姐，忽然之間搭腔：「你到這時候還弄不明白嗎？那是你的問題！」

陸本木馬上喝止她：「大姐！」

尊翔朝後看陸本木一眼，用眼神向他示意，他就閉上嘴巴了。尊翔板起了臉，看不出是否不高興，他只是沉著聲說：「大姊，請說下去。」

「你說她工作態度不好，但重點是，只要她演的劇集一直受歡迎，她就能生存下去！」大姐說：「你呢？難道你的工作態度比她好？拍劇居然可以拍到一走了之，你明天要是失場，你根本無法生存下去！」

三姐替尊翔辯護：「可是，那個女主角實在太過分，她在公報私仇啊！」

「你試試去向觀眾們哭訴吧！哭訴你被一個女人欺負啊！看看誰還要你這個娘娘腔的偶像！」大姐嗤之以鼻，動氣地說：「她這樣做，無論是否在公報私仇，也是劇情需要！她說得通，你卻無法自圓其說！要是你連這些小挫折也受不了，你現在的做法就對極了，永遠躲起來做縮頭烏龜啊！」

聽完大姐的話，四方桌上的各人皆不知所措，陷入一陣可怕的沉默。

大姐靜了一下，板起臉孔說：「我的工作是畫漫畫，對的，是畫少女漫畫。我有時熬夜把畫完成了，編輯們卻把一大疊畫稿擲回給我，告訴我讀者不會喜歡、告訴我方向不對，簡單的一句叫我重畫，我就要用上雙倍的時間熬夜去做同一件事。我也覺得委屈，我也生氣，但我知道一件事：照著付錢給你的人的命令去做就是了！」

她靜默一下，冷酷地說下去：「你可能會鄙視自己，覺得對不起父母，甚至出賣了自己的靈魂，可是，這就對了！這就是工作了！工作真是這樣子！如果你要求的是隨心所欲，只做自己最喜歡和排除所有不快的，那是興趣！但沒人有義務付錢給你上興趣班！」她目不轉睛地盯著尊翔的臉龐，彷彿想看穿他的不安。

尊翔整個人呆住了，他緩緩地把正視著大姐的眼垂下，視線又接觸到那隻筒子，他伸手把它反轉過來，然後露出相當落寞的神情。

就在這時候，連接到樓下管理處的對講機忽然響聲大作，管理員說收到鄰居投訴他們打麻將發出噪音，陸本木鬆一口氣，難得有散場的理由，大家便草草收了局。

陸本木借了自己的運動服給尊翔替換，尊翔沐浴回來時，陸本木已替他整理好雙層床的下層，自己則準備爬上上層去睡。尊翔還是禮貌地詢問了他，若不方便他大可睡客廳。

陸本木告訴他，這個家有兩間房，母親與三姐同睡一間；這間房本來是大姐與二姐的，陸本木只是睡客廳的沙發床而已。直至兩年前，二姐搬走了，大姐覺得應該給長大了的弟弟一個房間，方便他有自己的電腦和書桌做功課，所以她走出客廳工作和睡覺，直至現在。

尊翔饒有感受的說：「其實，妳大姐是個好人。」

「我應該代她道歉，她剛才的話實在太過分了！」

「不，她說得一點也沒錯，問題出在我身上。」他說：「我只是太要面子，工作態度也太散漫了。」

陸本木想替他開脫，「我倆也只是十八歲，十八歲的人都是這個樣子啊！」

「甚麼樣子？」

「一副欠揍的樣子囉！做盡一些叫大人看不過眼的事情的樣子囉！」

尊翔微笑起來，「但是，既然我倆也已十八歲了，就應該接受自己是成年人，對自己該負的責任是責無旁貸的啊！」

陸本木聞言，只得點了一下頭。

「明天一早，我就趕回台灣工作，我不能夠讓自己失場。」他說：「我自我放縱夠了。」

「明天一早就走？」陸本木問：「不如我現在便致電給金莎，告訴她一聲？」

「沒此必要，我不想自己的行為令她產生誤會。」尊翔對他說：「我突然買一張機票就飛來，只因我不想任何人有找到我的機會。我在台灣之外沒朋友，想起在香港認識了的金莎，就來了香港，只是那麼簡單而已！」

陸本木聽出了端倪，「所以……你並不是喜歡她？」他大大出乎意料的睜大了雙眼，「你不是因為太想念她而來香港見她的？」

「跟她在一起，讓我覺得自己像做回一個普通人，但我沒有喜歡她。」尊翔笑著搖頭，直視著陸本木說：「尤其，當我知道你喜歡她。」

陸本木倒是毫不害羞地直認：「對啊！我很喜歡她！超乎你想像中的喜歡！」

「很好，我想我們都表明立場了。」尊翔輕鬆地說：「第一次在卡拉OK的廁所，看見雙眼充滿敵意的你，我就已經知道了。」

陸本木不敢告訴尊翔關於金莎有個「10大最愛排行榜」的事，但這算不上是欺騙吧？他只能汗顏地自辯：「尊兄，你是我的對手啊！」

「陸兄，我不是你的對手啊！」尊翔搖頭笑了。

陸本木關燈後，爬上雙層床的上層，閉上眼希望馬上入睡，然而，卻不知何故睡不了，在床上輾轉反側。他留意到這晚的天空掛著個又光又渾圓無缺的月亮，就側著頭細看，彷彿要仔細研究有沒有嫦娥出沒似的。

「我就是在月圓之夜愛上她的。」尊翔的聲音忽然在黑暗中響起。

「嗯？」他也失眠了啊。

「我很早便認識她。直至三年前的一天，我跟她上陽明山走走，卻在山上迷路了，兩個人又渴又餓，天色又黑下來，天空上只有一輪明月。」尊翔用孤寂的聲音說：「我便嚇唬她，說這個晚上的深山野嶺，隨時會有人狼出沒的啊。她給我嚇壞了，一直緊緊地拖著我的手不放，直至我們從山中走了出來，她也不肯放開我的手。」

陸本木感到心頭一陣溫馨，對著月光說：「她是個嚴重缺乏安全感的女孩吧？」

「我探問過她，她告訴我，我甚麼也好，就是臉孔不好。而我，我最遺憾的，是我甚麼也可以給她，但始終沒法給她安全感。」尊翔靜默半晌，繼續說下去：「後來，她有了個做健身教練的男友，我也入了這一行。入行之後，我知道自己更加沒機會了。因為，誰相信我會專一？」

陸本木要用雙手掩住嘴巴，才勉強沒吐出一句：是啊！鬼才相信你會專一！

「陸兄，你又是在何時愛上金莎小姐的？」尊翔用有點倦意的聲音說。

「這個嘛——」陸本木把雙手交疊在腦後，閉上了雙眼，靜靜的回憶著說：「我也是很早便認識她，因為是唸同一間學校，也很談得來的緣故。那時候，我只是很滿足於自己有個公認是美女的朋友而已。

「直至兩年前的一晚，她和當時的男友鬧得很不愉快，就找了我出去吐苦水，她帶我去一家的士高狂歡發洩，後來她的男友追來，半求半哄的勸走了她，我剛巧碰到朋友，就留下來了，但過不了多久也回家倒頭大睡。

「翌日早上起床，我才發現自己調校了震動功能的手機，竟錯過了一千八百零五個來電！真的，我沒有看錯，是一千八百零五個！她給我打了足足一整晚的電話。原來，昨晚那間的士高發生大火，燒死了很多人，我一直沒接電話，她以為我已經葬身火海了！」

尊翔只是短促地隨意「嗯、嗯」的附和，沒有打斷他的話。

「在那天，她告訴我，她昨晚一直嚷著要去找我，但她男友不許，我令他倆又吵架了，更因此分了手。我既內疚又感動，所以便答應她，無論在任何情況下，我都會不分晝夜開著手機讓她找到我，我永遠不會在她的世界裡消失，我也會為她赴湯蹈火。那是因為，我深深知道，那是我虧欠她的。」

尊翔這時候才開口：「還有的是，你發現自己不能把她當作普通朋友了。」

「對啊，我愛上她了。」

「但她愛你嗎？」

「我也想過這個問題。但我相信，她在那個晚上如此緊張，只因是她帶我去那間的士高。」陸本木說：「如果我真的給燒死了，她一輩子也會內疚不已！」

「但起碼證實了一件事：她真的很關心你。」

「對啊。」他發自內心地微笑說：「關心一個人，會是開始愛上那個人的徵兆嗎？我真希望是。因為，若是這樣，她有一天或會發現自己愛上了我！」

尊翔這一次以沉默作回應，既然大家都是男性，想也該默默同意他的想法吧？

過了好一會，陸本木轉了個較輕鬆的話題，他問尊翔：「對了，我也來八卦一下好了，看雜誌說，那個自稱全宇宙最可愛的女明星，是不是真有腳臭？」尊翔卻沒回答他，陸本木倒吊著身子看看下面的他，在月光映照下，發現他已睡著了。

令陸本木氣憤的是，尊翔居然不打鼻鼾，穩睡得像吃了毒蘋果的睡公主。他注視著他，正常人哪有可能有這麼深刻鮮明的輪廓啊？但他似乎又看不出一點整容的痕跡。

「幸好你沒有裸睡的習慣，否則，我一定替你拍淫照！讓你增值變了同性的偶像！」陸本木說：「哼！晚安——」

翌日一大清早，尊翔致電航空公司訂了機票。然後，他跟大家圍坐在客廳的飯桌前吃大姐煮的粥麵早餐，他更連添了兩碗皮蛋瘦肉粥，胃口好得不得了。

臨走前，他對大姐說：「大姊，謝謝妳，我會牢牢記住妳昨晚的話。」

大姐看著他那張誠懇的臉孔，她的語氣罕有地放軟了：「我昨晚語氣也許重了點，你不要介意。」

「很久沒人苦口婆心的提醒我了，每個人都把我讚上了天，讓我變得太輕挑了。妳每句話也說得對，真的。」他主動向大姐伸出手來，大姐笑笑，欣然地與他握手。

三姐當然最不捨得尊翔，她向他保證：「我發誓，我以後也會買『鄰家小子』的正版CD，不在音樂網下載MP3。也不會在網上BT你主演的戲，更不會再買盜版DVD，請你一定要加油！」然後，她抖顫地向他伸出手。

尊翔卻沒伸出手，而是熱情地擁抱了她一下，「謝謝妳！我會繼續努力，報答妳的支持！」

尊翔過了十秒鐘才放開三姐，她憨立了整整半分鐘才說：「這真是世上最幸福的擁抱！」她歡喜若狂，眼淚都快流出來了，「我今年內也不要洗澡了！」

「妳臭死了，不要跟我睡！」母親推開三姐，關心地問尊翔：「小尊，你真的不多住幾晚？」

「我要馬上趕回去，認真面對我的工作了。」

「那麼，歡迎你隨時來住，我把小陸的房間全讓給你睡！」

「嘩！我的媽啊——」

母親不理會陸本木，只是專注地望著尊翔，忽然感觸無限的說：「如果我有你這麼英俊的兒子——」

「媽！」陸本木差點要寫血書投訴。

尊翔笑了，「伯母，你的兒子有很多優點是我沒有的。」

「是嗎？」她看著陸本木，極其絕望地搖搖頭，「我對著他十八年了，倒還看不出來嘛！」

當尊翔回到陸本木的房間，拿起背包準備出發時，陸本木把地上的滑板向他的方向一推，對他說：「好好接住了。」

尊翔用腳踏停了它，表情很意外，「你肯割愛，轉讓給我？」

「不肯。」陸本木說：「但我肯送給你。」

「送我？」

「我們這些普通人，認識明星的機會絕無僅有，我也只不過是送你一塊舊滑板而已，希望你不嫌棄吧！」

尊翔忽然不懂說話了，他沉默地看了陸本木好幾秒，然後一壓板上的滾輪，讓滑板翻上手，他握著頗有點重量的它，輕輕地說：「謝啦。」

「哎喲！夠了啦！你不要用那種眼神看我，我會動情的！」

尊翔一拳打在他肩膊上，兩人都笑了。

陸本木想送他到機場，他堅持不必，只要送他去截計程車便可。在街上順利截了車，跟陸本木道別後，他便戴上墨鏡。車子準備開動的時候，有個少女忽然從後面衝了上來，她氣急敗壞的喊：「尊翔！我見到你了！我知道是你！你可以替我簽個名嗎？」

陸本木用手按著車門，想替尊翔擋駕，只要車子開走了就沒事了。但車內的尊翔卻重新打開了門，對護著自己的陸本木溫和地說：「沒問題的，我替她簽。」然後，他做了一件令陸本木感到自愧不如的事：他步出車廂，先禮貌地脫下了墨鏡，才替少女簽名。

少女又要求合照，尊翔請陸本木幫忙，少女看著手機內的合照，就像得到世上最珍貴的禮物，歡喜若狂的離開了。

尊翔步回車廂前，突然像記起甚麼重要的事，唉啊一聲，對陸本木說：「我真笨！收了你那麼珍貴的禮物，卻沒有準備甚麼給你。」

陸本木想了一想，「你可以送我一樣東西。」

「儘管說！」

「送我一個祝福可以嗎？」他說：「祝我成為金莎心裡的第1名。」

尊翔確定地點一下頭，他吸口氣說：「我有預感，你一定會成為金莎的第1名。」

「你有沒有預感，我和金莎會結婚？」陸本木貪心地多問了一句。

「我預感自己一定會出席。」

他樂瘋了，「真的？」

「我更會找『鄰家小子』在婚禮上高歌助興。」尊翔忽然笑了，「我的意思是，如果到了那時候，『鄰家小子』還沒拆夥、或者未變成『鄰家老頭』的話。」

「一言為定。」陸本木高高興興地笑了。

上機前一刻，尊翔才致電金莎，金莎聽到他要回台灣，只是有一點驚訝而已，但她又彷彿相當明白他的處境。

「如果妳和小陸來台北，我希望可以帶妳去士林夜市『掃街』。」

尊翔改用廣東話說出『掃街』兩字，但他的發音不準，變成了『傻雞』，金莎更正他：「不，是『sou gaai』。」

「Sou gaai。」他努力地學著說。

尊翔看著遠處那條踏上飛機、慢慢縮短的人龍，他說：「還有一件事，我想對妳說抱歉。」

「很難想像尊翔會對人說抱歉，無論在戲內或戲外，那也不似你的作風嘛。」

「對於《Rainbow Six》那件事，我想正式對妳說聲對不起。」

「為甚麼？」

「我一心想贏，但我忽略了過程。其實，贏也可能毫無意義，輸也可以是種享受。」尊翔非常認真地說：「我希望可以跟你正正式式地對戰一場！」

「一定有機會的。」

「對的，一定有。」

「好了，我要上機了。」尊翔溫柔地說：「我會想念妳的。」

「謝謝你，但我不會想念你的。」金莎半真半假的說：「已經有太多人想念你了。」

「沒法子，我還是會想念妳。」尊翔笑了，「畢竟，不會有太多人願意戴著大黃蜂面具跟我逛街。」

再見陸本木的時候，金莎突然對他說：「小陸，你知道嗎？我知道自己不會再為他著迷了。」

他問：「為甚麼？」

她是為了他不辭而別生氣嗎？

「為甚麼？不為甚麼啊！就像初遇他的那次，我沒有拿他的電話號碼一樣，那是因為，我沒有期望會接到他來電。」金莎說：「或者，正是這個原因，我才不去拿他的聯絡方法，那就可免除我自己會致電他的百分之一的可能性。」

「也對。」陸本木忽然好想念他的滑板，他說：「如果我口袋裡沒有錢，我就不會逛運動品店，也就不會想買新滑板了！」

「因為，我一早明白了，我倆之間根本難以發展出愛情。」她說：「如果我愛上一個人，我不想與其他人分享。但面對著他，我是無能為力的。根本沒有人能夠獨享他，他是屬於公眾的。」

「也對。」陸本木點頭，「就像時代廣場和維多利亞公園。」

「所以啊，他要退位讓賢了！」她伸了個懶腰，身體呈可怕的S字形，

「你晉升一級了！」

陸本木高興得跳了起來，「妳的意思是，香港版的尊翔，擊敗了台灣版的尊翔？」

「去死啦你！」

「多謝妳提醒，我會去死的了！」他說：「昨晚睡不好，我今晚一定睡得像死豬！」

金莎給他逗得笑了起來。

那天晚上，陸本木上網看金莎更新了的「10大最愛排行榜」，第9位的「雷霆傘兵」已降至第10位了，原有位置被「給我掛賬的人」取代，他忍不住吻了金莎在網誌上的照片，看到LCD熒幕上的唇印，才想到大概有兩年沒抹過灰塵了。

嘔——

雷霆傘兵

如果每個女人，終其一生希望遇上一個完美的男人，我想就是他了。可惜，太完美的東西永遠難以專屬一人。我只知道，他活像個空降的雷霆傘兵，在我的世界裡忽然出現了，又忽然消失，讓我無法預計，也不可加以防備。在行內混得如魚得水的他，最近紅得發紫，與我的距離也愈來愈遠了。接下來的問題是：他會從我的世界正式撤退嗎？

雷霆傘兵．殘念！

當他讀網上即時新聞的時候，留意到一則台灣小道娛樂消息：「鄰家小子」的成員尊翔，在拍劇完畢後，被發現在青少年聚集的西門町區，跟一群少年玩滑板。據一名少年所述，尊翔是拿著滑板，突然獨個兒出現，希望加入他們，讓大家跟他一起玩。開始的時候，大家還以為是《仙人跳》那種偷拍娛樂節目，後來才知道他竟然認真在玩！少年稱，尊翔的技術中等，動作有點生硬，掉在地上好幾次，旁人給嚇壞了，他卻笑嘻嘻的。他的態度友善，毫無大明星架子，最後所有人都如願以償的得到簽名和合照，讓大家感到既感動又受寵若驚。

陸本木看看那張少年提供的合照，在照片的背景場地裡，他認得自己送給尊翔的那塊滑板，他笑起來，感到榮幸極了。

想到自己居然戰勝了萬人迷尊翔，他就含笑而睡。

他在夢中夢到了金莎。兩人在夢中排除萬難，幸福地走到教堂裡。正當他要揭起她的白色頭紗時，他就被鬧鐘吵醒。他搜索枯腸，也無法確定頭紗下的女孩，到底是不是真正的金莎；而他的幸福，又是不是真正的幸福。

真想潛入你夢中，
看看你夢到的那個新郎，
是不是我那張滿懷幸福的臉。

第五章　尋找初戀篇 I

一個人的美，
在於對自己的美毫不知情

放學之後，金莎和陸本木到麥當勞閒坐，連線玩著NDS賽車遊戲，鬥得興高采烈、難分難解。

金莎放在餐桌上的手機響了起來，她看看熒幕上的來電顯示，她那輛本來領先一段路的馬里奧跑車忽然撞上欄邊，在跑道上打轉，陸本木抬眼偷瞄她，留意到她的神色突轉凝重，他開口說：「我們把賽事暫停一下，妳先接聽電話吧。」

「不用。」她的聲音跟剛才的亢奮大相逕庭，滿臉心事的說：「我們繼續！」

陸本木不再說話了，「那好，繼續。」他跟金莎相識三年了，他清楚她的習慣，如果她不想受到騷擾，她會刻意不接聽某些人的電話，只給過濾後剩下的人找到。甚至乎，如果她心情很壞，她就把所有來電轉駁到留言信箱，任何人也找她不著。

當賽事繼續，她的手機也持續震動下去，第一次不獲接聽，來電者隨即打第二遍，死心不息的似乎要找到她為止。陸本木看到NDS的熒幕上現出了「pause」的字樣，金莎放下遊戲機說：「回頭繼續。」她拿起手機，步出餐廳門口接聽。

陸本木咬著薯條，隔著落地玻璃窗看金莎，也由於兩人認識已有三年，他知道只因她不想被他聽到對話內容，才會走開去，一想到這裡，他就暗忖：來電者是誰？

對方一定是個在她心裡很有分量的人，兩人在說很有分量的事情吧！

叫他擔心的是，才剛與洪卓越分手、與尊翔劃清界線的金莎，是不是有了熱烈追求她的人？但他又自我安慰似的苦笑了一下。事實上，無論她是否在拍拖，追求她的人根本從沒間斷過啊！

三分鐘後，金莎走了回來，把手機擲回餐桌上，狠狠地抓起一堆炸薯條就咬。她每次點套餐，都會把整包薯條留給陸本木的，他看得出她的心情更壞了。

他讓她吃了幾根，就把整包薯條搶走。

她嚷道：「你在幹甚麼？」

「妳吩咐過我，如果妳忍不住口吃煎炸的東西，我一定得制止妳啊！」

「拿出來！」她堅持地說。

「哎喲，妳不要叫我難做吧！」他把薯條收進外套內，苦惱地說：「妳發出兩個截然相反的命令，我該聽從哪一個呢？」

金莎一臉惘然的問：「我已經沒甚麼印象了，我為何會命令你阻止我？」

陸本木對她的過去如數家珍，「當時，妳鼻子上生了一粒巨大的暗瘡，又不想給同學們看到，於是每天也用膠布貼著它。當別人問起，妳就說自己撞傷了鼻子。」他頓了一頓，不禁失笑，「妳當時懷疑自己是不是吃太多薯條或煎炸食物了，所以，妳授權我嚴格看守著妳。」

「那是我最醜惡的年代，難怪我想忘掉啦！」金莎把一切記起來了，她用雙手掩著臉，神情尷尬地說：「我臉上一向不長暗瘡的嘛，但不知因何長了一顆，還要是隔半條街也能看見的，對我來說，簡直就像世界末日！」

「我也怕妳會自殺啊！」

「我大概也有想過了。」她整個人像陷入了回憶，苦笑著說：「當時，我跟初戀男友分手幾個月了，還是沉溺在失戀的悲慘世界之中，所以，我才會用瘋狂大吃大喝的方法來發洩苦悶！」

陸本木提醒她：「但妳和一個鄰校的籃球隊長拍拖後，很快就恢復過來了。」

「那個人不值一提啊，他只是一個剛好飄到我面前的水泡，我用了它一會，只是想等船隻經過。」金莎揚了揚手說：「他連我的排行榜10大也不入哩！」

「對啊，我幾乎沒聽你提過那個飄洋過海的水泡。」他點了一下頭，「它一定是漏氣了。」

「喂，今天就破例一次啦，我好想吃！」她快速地把手伸前，想要胸襲他。

陸本木側過身子避開了她的突襲，把薯條夾在香噴噴的腋下，才轉頭看著她說：「妳好歹也是個美女，吃薯條簡直是以身犯險啊！一包太多了，頂多只能給妳十根！」

「二十根！」

「十五根！」

「好啦！成交！」

「但有交換條件！」陸本木提出了合理的疑問：「剛才是誰刺激妳了？」

金莎聽他提起這件事，一張臉馬上像洩了氣的皮球。她呷了一口可樂，慢慢才說：「剛才來電的，就是害我生大毒瘡的初戀男友。」

陸本木在心裡暗暗叫慘，他十分真誠的說：「那個人罪該萬死啦！他找妳幹甚麼？找妳復合嗎？」

「我不知道。」金莎搖搖頭，說：「他只說有急事，想跟我見一次面。」

「妳打算怎樣？」

「我答應他了。」她又深深地嘆了口氣：「但一掛掉電話，我又後悔了。」

「人生容不下太多後悔啊！」陸本木看著她放在餐桌上的手機，快刀斬亂麻的說：「把妳的電話借我一用，我冒充妳男友打給他，替妳取消約會好了！」

「不要。」金莎用掌心按著手機，恐怕會被他擅自奪走似的。

陸本木苦笑一下，心裡有點兒受傷，他只得無奈地問：「妳說自己後悔了，妳到底後悔些甚麼？」

金莎把整個身子縮進座位裡，過了好一陣子才說：「我和他分開四年了。在這四年裡，我們一次也沒聯絡，當然也沒見過面。我最害怕的是，我的樣子比起四年前差遠了，我的頭髮也很久沒理過，旱得好像乾草般。我明天就要去見他了，他見到現在的我會失望嗎？我會不會嚇怕了他？我完全沒有跟他見面的準備，我後悔會令自己手足無措！」

說著說著，她把十根手指也插進了長髮內，胡亂地抓著。

陸本木凝視著金莎，他真想告訴她不用擔心。真的。他認識她三年了，她從來是個吸引所有人目光的小美女，而她長大後也勢將變成大美人。但他知道無論自己說甚麼，她也聽不進去。他看看錶，為了回復她100%的自信，他想到了折衷的方法：「還有時間啊，妳可以改頭換面！」

「但明天——」金莎用疑問的眼神看他。

他充滿信心地說：「相信我。」

金莎向他篤定地點了一下頭。

半小時後，陸本木帶金莎到了二姐開的小型美容院。他在電話裡預先提出了要求，二姐也準備好了。

二姐看到兩人，叫美容師助手帶金莎進房間準備。然後，她把陸本木拉到一邊，瞪大雙眼，壓低聲線問他：「小陸，她是你的女朋友嗎？」

「她名叫金莎，她是我……嗯，現在式的好朋友，未來的女朋友……但願如此啦！」

二姐兩年前搬了出去，跟一個男人同居。所以，她不會知道家裡發生的事，自然更不清楚他這個弟弟的感情狀況。

「她真是個美女！」見慣漂亮女人的二姐，驚豔地說：「我從沒見過皮膚比她更好的人！」

「她很不滿意自己耶！」

「真正的美女都是這樣，對自己總是最沒信心。」二姐微笑著搖頭，「你說希望我幫她，但對於已很完美的她，還有甚麼地方需要幫忙？」

他也說不出所以然來，只能模糊地說：「總之啊……讓她在今天之內回復自信。」

「她明天要去參加選美啊？」

「無論如何，拜託二姐啦！」想起來，他其實應該帶金莎去看心理醫生。

離開美容院後，金莎拉著陸本木，非常高興的說：「我首次做金箔面膜，覺得自己簡直脫胎換骨了！」她輕撫著臉龐，一臉滿足，「我覺得自己好像年輕了幾歲，你也來摸一下。」

「妳再年輕幾歲就變女童了，我可不想讓自己像個變童癖，我不要摸啦！」

他根本不覺得眼前的金莎有何差別，她的臉又沒有變金色！但他只是苦笑一下，安撫她說：「只要妳滿意就好。」

金莎笑起來，「滿意！」

他看看手錶，對她說：「我們要趕下一場。」

「趕去哪裡？」

「妳不是說，妳的頭髮總像野墳前的亂草嗎？」他說：「我跟我好友晨希約好了，他是天才髮型師，也就是我提起過的中環劉德華，今天他會為妳抽出一小時的空檔。」

「真的嗎？」金莎臉上一陣驚喜，「小陸，你太好了！」

「我知道啊，我也很欣賞自己！」陸本木笑著說。

陸本木領金莎前往晨希工作的理髮店，店子位於中環某商廈的廿五樓，店子格調高級時尚，專門做明星名媛生意。兩位生得標緻的接待處小姐招呼他們，並且打內線電話呼叫晨希。

三分鐘後，晨希走出來，把一名身材高挑得不成比例的女模特兒送進了升降機，然後走過來跟兩人打招呼。

「這是金莎。」陸本木為二人作介紹，這一刻的他，真慶幸那個幫助洪卓越的晚上，晨希和阿嬌因姍姍來遲而跟金莎緣慳一面，否則要二人再碰面就有難度，「這是我最好的朋友，晨希。」

「喂，你說得真夠曖昧。」晨希轉向金莎，向她含蓄地微笑一下，他一向是個慢熱的人。「小陸常常提起妳，我有甚麼地方幫得上忙？」

金莎望向陸本木，陸本木叫她親自向晨希講明要求，她老實地說：「我明天要赴一個重要約會，我覺得自己的髮型糟透了，我想換一個造型。」

晨希瞧著她的頭髮，瞇起雙眼問：「要有爆炸性的嗎？」

金莎給他逗得笑了起來，「好啊！」

「朋友，爆炸的定義，該不會是剪光頭吧？」為了保險，陸本木神情凝重地問晨希。

「為了不想令這裡發生謀殺案，我不會採取這方案。」

陸本木放心下來，說：「那麼，拜託你盡情改造她啦！」他一手搭著晨希的肩膀。

晨希也搭著他的肩膀，滿有默契地回應：「希望我不負眾望吧！」兩人露出了一致的笑容。金莎看到這一幕，真正感受到兩人是一對很要好的朋友。

金莎去洗頭的時候，晨希一絲不苟地把剛用過的剪刀等物件放到紅外線箱內消毒，陸本木坐在旋轉座椅上轉了一圈，然後捉住晨希問：「你終於見到金莎啦！你覺得她怎樣？」

晨希聳了聳肩，以安撫孩子的口吻說道：「你喜歡就可以了，不用在意別人的想法啊。」

「阿希，你是我最好的朋友，我也希望你會喜歡她嘛。」

「小陸，作為朋友，我會對你的眼光投下信任一票。」

「正如我所形容的，她真是個美女吧？」他又忍不住雀躍地問。

關於這個，晨希倒是認同地點了一下頭，「這可證明我沒說錯吧？跟美女做朋友，是世上最痛苦的事情。」

「幸好我聽從你的話了。」陸本木說：「為了解除痛苦，我勇敢地去追求她啊！」

「她知道你在追求她的吧？」

「對啊！」

「那麼，我真的弄不明白，你好像總在幫助別人追求她似的。」晨希扭頭瞄他一眼，語帶責備的說：「你上次幫純情少男與她復合，今次又讓她裝扮得漂漂亮亮的跟初戀男友見面，為自己不斷製造危機，不是太奇怪了嗎？」

陸本木聳了聳肩，慢慢開口說：「該怎說才好呢？我也知道自己笨，但每次看到她請求我的表情，我就覺得非要盡力幫助她不可。」他抱著胳膊皺眉深思，頓了一下才說：「我很喜歡她，所以，我總希望看到她的笑容。如果她的笑容是因我而起，我會連自己也喜歡自己起來的。若是這樣，就算她使我有多難堪也沒關係了。」

晨希搖搖頭笑了，彷彿明白的說：「看起來，你真的太喜歡她了。」

「我只覺得，喜歡一個人就該這樣啊！」

這個時候，金莎被帶了出來，晨希正式開始了他的工作。陸本木在一旁看雜誌，店內播放的爵士音樂讓他舒服得打瞌睡，再張開雙眼之時，只見金莎已拉過一張椅子，坐到他的正對面，像一頭貓一樣，用黑白分明的眼眸觀察著他。

陸本木只能睜大雙眼，將身子盡量的靠向椅背，跟她保持一個較遠的距離。他見到她整把頭髮又大又鬈又蓬鬆，活像那些搞笑電影的主角觸電一樣，但一頭曲髮放在她臉上，卻又配合得出奇地好看。

金莎拍拍他的臉龐，不滿地問：「喂！你發甚麼呆？給我反應啊！」

張大了嘴巴的他，再花了五秒鐘才回復常態，「我的反應就是發呆啊！」

「好看嗎？」她坐在椅子上轉一圈。

「我只是有點看不慣，但好看！」

「哈！嚇死我了！」金莎好像完全放下心來，用掌心猛拍著胸口說：「我多害怕你會給嚇昏！」

「如果妳把頭髮拉直、披頭散髮，只露出四分之三隻貞子似的眼白，我保證會被妳嚇昏！」

「沒這回事。」站在不遠處的晨希，好像完成了一項重大任務似的，輕鬆地說：「放心吧！她把頭髮拉直，也會一樣好看的。」

「我就知道！」金莎露出一個連自己也覺得耳目一新的驚喜神情，「我很好看！」說完，她噗嗤地笑了。

陸本木看到她那自信的笑容，他也安心地笑起來了。

有時候我會覺得，
世上最好看的不是甚麼名勝，
或最偉大的古蹟，
而是你一雙眼，
因為在你眼裡的反映中有我。

第六章　尋找初戀篇 II

每個人對愛情的終極夢想，有淺有深，不盡相同翌日下午，金莎自信滿滿地去赴初戀男友小寶的約。他約會她的地方，就是兩人初次遇見的那家Pacific Coffee。他這個安排叫金莎更加忐忑不安，一直期待有甚麼好事會發生。

一向不習慣準時的金莎，彷彿要給小寶留下好印象般，難得地在接近約定的時間出現了，縱使如此，小寶仍是比她早到。她坐下來靜靜凝視著小寶，他的樣子一點沒變，跟五年前初遇時沒兩樣。

雖然已悉心打扮，造型也煥然一新，但金莎仍感到臉上熱烘烘的，整個人極不自然，恍似流轉回五年前那個青澀的自己。

小寶殷勤地替金莎買了飲品，當他端來她最喜愛的大杯裝Strawberry Banana（草莓香蕉）和藍莓芝士餅時，她感到相當快樂愜意，有那麼的一剎，她感覺兩人有如返回當年的溫馨時光一樣。

小寶問起她的近況，她覺得他是在試探她，但也不怕如實相告，她告訴他剛與一個拍拖兩個月的學弟分了手並隨即反問他：「你呢？你有拍拖嗎？」

小寶笑著吐出一句：「我準備結婚了。」

金莎像中彈般怔在那裡，她滿以為自己聽錯了，笑得很牽強地問：「結婚？你是在說笑吧？你說自己絕對不會結婚的啊！」

小寶臉上閃過一下難堪的神情，但他用平靜的語氣，耐心地向金莎解釋：「我當時年紀太小，對結婚這回事沒有概念。連我自己也沒想過，但我真的要結婚了。」

「只是五年時間而已，不見得你能夠長大多少吧！」金莎說時一臉木然，她實在沒法子逼自己說出任何恭喜的話。

小寶當然聽得出她話裡的埋怨與失望，他靜靜地喝了一口凍咖啡，不知該怎麼把話題接續下去。

金莎由滿腔希望變成徹底失望，她唯一想到的，就只是盡快離開這裡而已。她恍如催促似的說：「你說有急事約我出來，就是為了告訴我你要結婚了？」

小寶搖了搖頭，「我找妳，其實是為了——」說到這裡，他的神情好像有甚麼難言之隱，說話停了下來。

金莎在心裡升起了一個奇怪的念頭，她即將要成為搶新郎的壞女人嗎？

她鼓勵他似的問：「為了甚麼？」

「我找妳，是為了取回我五年前送給妳的戒指。」

金莎瞬即被絕望打垮，耳窩嗡嗡作響，根本沒法相信自己所聽到的，不，該說不肯相信。她說：「你多說一次？」

小寶垂下了雙目，整個人默不作聲，他的行動已經清晰地告訴她，她剛才並沒聽錯。她感到非常難受，而且覺得面子也都丟光了。

為了保衛自己最後一點尊嚴，她居然沒有生氣，也沒問他原因，只是改用爽快的語氣說：「沒問題啊，我當時也打算還給你。但我要找一找，我不知把它亂放到家中哪個角落去了！」

小寶這才抬起眼來，對她感激地一笑，用軟弱的聲音說：「莎，謝謝妳。」

「只是小事，不客氣。」金莎掀起了一個假裝很沒所謂的微笑。

在學校的操場上，她把自己與初戀男友小寶見面的詳情，跟陸本木嘩啦嘩啦地說一遍，他聽得直皺眉，情況跟他想像中的截然兩樣，簡直就是反高潮啊。他一邊為自己的瞎擔心而大大吁了口氣，但另一方面，又替她居然被舊男友索回禮物而深深不忿。

金莎愈說愈激動，她對陸本木說：「氣死我了！真的氣死我了！」她情緒太惡劣太激動的時候，就會哮喘病發作。她馬上從校褸口袋裡拿出一支隨身的氣管舒張噴劑來吸，以控制哮喘病發。

與她並肩喝著汽水的陸本木看到這一幕，覺得既擔心又心疼。認識金莎三年，一共只見她用過四遍（有兩次更是因為天氣太冷，刺激氣管收縮，才誘發了哮喘），他知道她今次是動了真怒。

看見她的氣管舒服了一些，陸本木跳到她面前，嬉皮笑臉的對她說：「好啦好啦！我知道那個男人令妳很生氣，不要再想他了！讓我這個男人逗回妳高興好嗎，我能為妳做甚麼？」

金莎一副餘怒未消的表情瞧著陸本木，直把他當作洩憤對象了，她說：「表演鴨仔跳給我看！」

他向食物部外的操場抬了一下眼，「在這裡嗎？」

「繞著操場跳！」

「沒問題。」他把喝了一半的汽水交到金莎手中，蹲下身子，把雙手放在身後，即席在學校操場上表演鴨仔跳。四周的學生不是捧腹大笑，就是驚訝得張大了嘴巴，也有人拿起手機就拍，而陸本木卻懶理別人目光，繞著操場四邊的白線，努力地向前跳，因為在他心裡只有愁容滿臉的金莎，他希望利用她告訴他的方法，來消解她那嚴重的憂愁。

跳了半個操場，他向金莎單單眼，她一臉忍俊不禁的樣子，氣好像已消了一半。他高興極了，加緊努力地跳，也故意讓自己的整套動作更滑稽，直至，在面前遇到一堵擋著他前進的牆。

他看到面前有雙象牙色、絕無一點贅肉的小腿，抬起眼來，是一張美豔但冷漠的臉孔，她的聲音也是不遑多讓的孤傲，冷冷地說：「走開！」

他當然知道她。她是讀A班的藍閱山，與讀B班的陸本木和C班的金莎，課室都在同一樓層，有時三人會在走廊擦身而過，金莎並不喜歡她，總說那個藍閱山啊，漂亮是漂亮了，但她永遠也是挑起眼尾望人，瞄別人一眼就移開視線，一副樣子嚣張拔扈得讓人想揍她一頓。

陸本木每次聽到金莎這樣說，也會點頭表示認同。他聽過班級之間有個傳言，有兩個男生為了藍閱山和金莎打起來，原因是兩人在討論誰是真正的校花，兩人各執一詞，一言不合之下，竟然生氣得互毆。

這個時候，陸本木可不想與藍閱山有任何接觸。他保持著活力，在原地跳了幾下，便改變路線，在她身旁繞過。他這樣退讓，藍閱山卻不肯放過他，用確定他會聽到的聲量，丟下一句：「一頭可憐的狗！」

他覺得藍閱山真的討厭又可惡，但卻佯裝聽不到，繼續跳下去，直至在操場繞完一圈，回到起點時，他大汗淋漓地、喘著氣問金莎：「怎樣啦？開心了吧？」

金莎一臉沒好氣，但又覺好笑的說：「奧運選手，站起來吧！」

陸本木雙腿發軟地站起來，金莎把汽水遞給他，他骨碌骨碌的一口氣就喝光了，整個人很痛快，站在她身邊，他可以感到她的怒氣已熄掉七八成。

她此時問：「那個藍閱山對你說了甚麼？」

「沒甚麼啊。」他說：「她讚賞我是個好學生，一早便勤力做運動。」

「哈！騙人！」

「怎樣也好，不用跟她計較啦！」陸本木老實說：「她根本不及妳萬分之一的重要！」

「你們男人都是一樣的，要逗女孩子歡喜時，可以答應把天上的星星也摘下來！」金莎齒冷地說：「但你們總是說過便算！」

「我不一樣。我不是那種男人。」陸本木很不同意地搖了搖頭，「我只會答應妳，我一定能夠為妳做到的事。」

金莎聽到陸本木這話，看看額角仍在狂冒汗的他，整個人就靜了下來。

兩人無語片刻，金莎忽然咬咬牙，從齒縫間吐出一句：「他太不負責任了！我要報復！我決定要破壞他……你會幫我的吧？」

陸本木呆了一下，不置可否的反問她一句：「可是，他跟一個女人結婚，不是負上該負的責任嗎？」

「他沒有對我負責任！」

他知道自己不應該觸及地雷，但忍不住勸她一句：「你們已分手了，他對妳已沒責任了啊。」

「你幫我還是不幫？」她猛瞅著他，用威脅的語氣說：「陸本木，是你欠我的！」

面對金莎的無理取鬧，再想到自己在榜上的邊緣位置游移的情勢，他只好順從的說：「對，我欠妳的，我當然會幫妳。」

三天後的周末下午，金莎約了小寶在一家酒店的咖啡室見面。

提早抵達的她，找了一個陽光照射得到的靠窗位置坐下。趁小寶未到，她致電給陸本木，問他：「怎麼樣，你看到我嗎？拍得清楚嗎？」

被金莎安排埋伏在酒店外草叢，穿了一身軍裝的陸本木，推高了鴨舌帽，把相機的長鏡頭對準金莎說：「我簡直好像專業的狗仔隊，已經準備就緒了！」

「等一下你要拍得清楚一點，這可是我送給他未婚妻的賀禮啊！」

「哦。」他應道。

金莎朝著藏身在草叢內的他一笑，「那謝謝你囉！」

陸本木看到忍不住笑意的她，指頭便忍不住按下快門，把這一刻美好的她攝進鏡頭內。傳說相機偶爾會拍攝到人的靈魂，他但願自己也有對金莎勾魂攝魄的能力。

與金莎掛線後，陸本木靜候小寶出現。他無所事事的移動著鏡頭，望向咖啡室不同角落，藉此測試功能，卻發現室內的一角恍似有個熟悉的身影。

他連忙把鏡頭對準那個方向對焦，一望之下整個人就愣住了，在清晰的長距鏡頭下，他見到母親正跟一個男子對坐，驟眼看來，那男子不比陸本木大幾歲。

滿臉春風的母親，此刻正把雙手按在男子放在餐桌的手背上，親暱地緊握著他的手，男子溫柔地笑了。

看得傻了眼的陸本木，在滿熱的氣溫下，額角卻冒出冷汗。他整個身子抖著，指頭不自覺地按下了快門，不知是幸運或很不幸地，拍下了這震撼的一幕。

十分鐘後，小寶抵達咖啡室，侍應生拿著餐牌走過來招呼，金莎卻將他打發：「我們馬上就走。」

侍應生退下，金莎從手袋中取出一個用來收藏戒指的紅色小絨盒，推到他面前，「還給你。」

「謝謝妳。」小寶接過，不知是不欲懷疑她，抑或不願懷念它，就準備直接收進衣袋內。

金莎卻說：「打開來看看啊，我怕記錯是另一枚。」

小寶嗯了一聲，靜默地打開來一看，裡面的鑽石戒指在陽光底下閃閃生光，雖然鑽石的卡數小得可憐，拿在手中卻感到沉重。他嘆息似的說：「是這一枚了。」

「雖然我不知道你為何要取回它，但我知道，我最好不要多問。」金莎輕鬆地向他微笑一下，「你替我再戴上一遍好嗎？」

小寶有一刻啞然，「但是……為了甚麼？」

「好讓我親自把它脫下來，就當作是我退還給你，並非由你問我取回。」

她伸出修長的左手，對他說：「那麼，我心裡就會好過得多了。」

小寶明白地點了一下頭，他從盒中取出戒指，深深地吸了口氣，一如當年那樣，把它珍而重之地套進她的無名指。金莎揚起手，笑著看了它一會，就老實地把它脫下來，交回他手心。

小寶合上掌心，垂下雙眼說：「對不起。」

「沒關係，只是一枚我長期放在首飾櫃內的戒指而已。」她還是保持著微笑，向侍應生舉手示意要結賬，然後對小寶說：「我約了人，離開了好嗎？」

小寶恍似想說甚麼，但他猶豫一刻，終於無力地點了一下頭。

兩人在酒店門口道別後，金莎走到草叢找陸本木，見到他面青唇白的，便走過去用掌心探他的額頭，問他：「是不是天氣太熱，你中暑了啊？」

「我沒事。」陸本木沒精打采的縮起了頭頸。

金莎皺著眉問：「真的沒事嗎？」

他的神色回復了自然，笑了笑，「沒事。」

「沒事就好。」金莎問：「剛才的情形都拍下來了吧？給我看看啊。」

陸本木聽到她這樣說，反而把胸前的相機抱緊了，「我馬上就去沖曬，妳等著看照片吧。」

「為甚麼啊？」

陸本木真怕給她發現母親偷情的證據。他胡亂地說：「……我要先趕回家，用電腦在數碼照片上做些特別效果……我先走了！」說完便趕著離開，金莎想拉他也拉不住，她滿腹疑團，怔怔地看著他的背影，直至他在街角消失。

陸本木在街上繞了一圈，頻頻回望，直至確定金莎沒追上來，才把腳步放慢，但心裡卻有深不見底的失落。

就在這時候，他的電話響起，是金莎來電，他垂頭默然地看著手機好半晌，吸口氣後接聽了，金莎只管一口氣的罵：「陸——本——木——！你快說！你有甚麼隱瞞著我？你剛才的神情太古怪了！」

「我沒事隱瞞你啦。」

「我打這個電話，不是要聽你說愈來愈多的謊話！」她用霸道的聲音，一個勁地說：「我要知道真相！你不告訴我，我不會罷休，我會煩著你直到你肯對我說真話為止，所以你早一點說，就是為自己少添了點麻煩！」

陸本木聽她一疊聲的罵著，心卻慢慢感動起來。雖然金莎表現得滿兇的，但她真的了解他的一舉一動，她也沒有讓他獨自承受苦惱。他握緊手機，嘆口氣說：「好，我甚麼都告訴妳。」

「你是在嫌我麻煩了是不是？」

「是啊！妳煩死了！」他老實的說。

「哈！太好了！我就知道會奏效！」金莎在電話那頭也笑了，「我會一直煩著你，煩到你入土為安為止！」

陸本木悲哀的笑了起來，「好啊，捱到那時候，我總算可以真正安息了，阿們。」

翌日下午，陸本木被母親、大姐和三姐拉了去海港城，陪她們逛半年一度減價的服裝店。作為唯一的男丁，他一向擔任服裝指導一職，家中的女人們也會聽他的意見。

每次從試身室走出來，陸本木會如實相告：「紫色不襯妳啊！」或「妳穿這對豹紋鞋子上街，狗會追著妳咬的啊！」或「救命！妳去麗花皇宮登台好了！」

大姐是個主觀性極強的人，她只會把弟弟的話作為參考，到了最後，她還是會堅持買自己喜歡的東西。久而久之，陸本木就發現，大姐所選的，絕大部分是她第一眼看到的、第一次拿起的貨品，能夠動搖她的決定的，還是只有她自己罷了。

對陸本木最好的三姐，對他的話完全順服。每次試了衣服，她都會急不及待詢問他的意見。碰巧有兩件她同時喜歡的，難以抉擇的時候，他就會請弟弟替她選，而只要是他挑選的，她也會快樂地說：「太好了！我也喜歡這一件！」陸本木知道她是個很溫柔體貼的女人，不會做任何傷害別人感受的事。

最沒主見的是母親，她買任何東西也會再三徵求三人的同意，如果得不到三人一致的好評，她寧願放棄。所以，這一天，把心事憋得緊緊的陸本木一直沒有放過她。無論她試了甚麼，無論那件貨品是不是適合她，無論兩個姐姐怎樣同聲讚好，他也會盡量找些話來挑剔，逼得母親每次也把貨品放回原處。

購物完畢，兩個姐姐買了不少b+ab和moussy的衣服，連陸本木在i.T.也略有斬獲，只有母親落空。四人到大家樂吃下午茶，一如既往，由陸本木負責去買，聽完姐姐們想吃甚麼，母親說：「我想吃漢堡包。」

他黑著面，隨口說：「漢堡包已賣光，看看還有甚麼我替妳買。」

母親只能無可奈何地說聲好。

三姐對陸本木說：「我們一起去，我替你拿餐盤。」

排隊的時候，她問：「你和媽吵架了嗎？」

「沒有啊。」他皮笑肉不笑的說著。

三姐搖頭微笑了一下，「媽今天做甚麼，你也好像看不過眼哩。」

陸本木有口難言，他強撐著說：「大家找我出來，不是要我給意見嗎？我看不過眼也很正常吧？我一定得認同的嗎？」

「有甚麼事，你大可跟姐姐說，知道嗎？」三姐還是那種溫和的性格，再沒問下去了。

有那麼的一剎那，他真想把一切如實相告，但他叫自己苦苦地忍住了。

昨天，他給金莎看了那些照片，金莎的反應也大：「嘩！你媽有變童癖啊？」

陸本木的臉頃刻沉下來。金莎嘟起了嘴巴，又明白地點點頭，「難怪你剛才嚇得神不守舍、魂不附體啦！」

陸本木只好無奈地自嘲：「妳可以想像到，我將來可能要叫一個同年紀的人做爸爸嗎？」

她也只好安慰他：「你母親可能只是逢場作戲的吧？」

這句話馬上觸到他的痛處，他氣憤地說：「無論她是否認真，也不該拿這個來玩！」

「你打算怎樣做？」

「我不知道。」他頹喪地苦笑，「我也該破壞她嗎？哈哈哈哈！」

吃下午茶的時候，陸本木不發一言。他偷眼看看母親——他每天也面對著像一般主婦的這個她——他開始搞不清她是個怎樣的女人，因而覺得她既陌生又可怕。

令他無法理解的是，他一直認識的這個毫無主見、連買一雙鞋也會向家人召開咨詢大會的母親，居然會在全家人毫不知情下，跟一個年輕的男子秘密幽會。

一想到這裡，陸本木只覺一陣噁心，只吃了兩口三文治，便再也嚥不下去了。

金莎把陸本木沖曬出來的數碼照片一幅幅的細看，並把照片拍攝的先後次序調換，變成一個她自製的版本：小寶和金莎相約在酒店門口等候，兩人在餐廳內喁喁細語，小寶把一枚戒指送給她，要求跟她復合。金莎感動地接受了他，小寶親自替她戴上了戒指。

金莎對自己的設計圖片感到相當滿意，正要部署下一步行動的時候，手機響了起來，她看到來電顯示是小寶。當她接聽了，卻是一把深沉的女聲：「我是小寶的未婚妻Amy，妳就是他的初戀女友金莎吧？」

金莎呆了半晌，但她很快就鎮定下來，即時就要佔回上風的說：「是小寶叫妳致電給我，抑或妳瞞著他來找我了？」

她不置可否地說：「我倆應該見一次面。」

金莎看看手中的一疊照片，胸有成竹的說：「我也這樣想。」放下手機，她冷笑起來，喃喃自語的說：「哈！妳要自投羅網嗎？來得正好啊！」

兩人約在中環蘭桂坊，金莎走上那條斜路的時候，遠遠便瞧見坐在露天酒吧內的一個女子。

讓金莎感到相當出奇的是，就算她肯定二人從沒見面，但她卻對這女子生起一陣熟悉不已的感覺，這使她一眼便從幾枱獨坐的女子中，百分之百的確認她就是Amy，但原因她說不出來。

她走到Amy對面，直接拉開椅子坐下，「我是金莎，我來了。」

Amy定睛注視了金莎三秒鐘，彷彿不欲詳談，直接爽快的說：「請妳不要再纏著我的未婚夫了。」

金莎滿有自信的笑了一下，「到底是誰纏著誰，還真是未知之數吧？」當她正要伸手從手袋裡取出那疊照片，Amy卻率先把一個信封放到餐桌上，推到她跟前。

金莎看看那個微微隆起的白色信封，疑惑地笑了一下，「這是甚麼？愛情解僱通知？還是賠償金？」

「妳自己打開看看。」

金莎看到Amy氣定神閒的表情，便默默地打開信封，把裡面的東西倒出來，她一看到那些東西，心裡便一陣苦笑。那也是一疊照片，看得出是從餐廳另一邊拍攝的，照片顯示了小寶和金莎在餐廳內的情景，以及金莎把戒指交還他的情況。而稍後他為她戴上戒指的畫面，則一張也沒有。

金莎呆看著照片，原以為自己計劃得天衣無縫的詭計，竟被對方奪了先聲。她叫陸本木做的功夫只好作廢了，但這證明她已敗下陣來了嗎？

金莎把照片放回信封內，推回Amy面前，不怒反笑，「這並不代表甚麼吧？如果小寶真的把我們的前事忘記得一乾二淨，又怎會突然回頭找我？我們都是女人，妳該猜到，他只是想找個借口與我再次見面而已。」

「萬一妳猜錯了呢？」

Amy把一直收在餐桌下的左手提起，平放在桌子上。金莎瞥見Amy的無名指上，正戴著她退回給小寶的鑽戒，戒指上的碎鑽閃閃生輝，使她感到一陣切膚之痛。

金莎忍不住生氣地喊：「妳手上的戒指本來是屬於我的！是我決定不要

了，妳才有機會戴上！」她高亢的聲音令酒吧的客人為之側目。

Amy由始至終也保持著那種令人不安的深沉，她說：「無論如何，我歡迎妳來參加我和小寶的婚禮。但除此以外，請妳別再來擾亂我們三人了。」

金莎聽到她的話，大大地呆了一下，她問：「你們三人？」

Amy臉上現出了母親的光芒，「我懷孕了。」

有那麼的一秒鐘，金莎幾乎可以聽到自己心房裂開的聲音。

當母親踏出了家門，本來在家中上網的陸本木，迅即穿了球鞋，戴上鴨舌帽，跟在她身後。

在平常的日子裡，陸本木根本不會多留意母親，可是，當他現在稍為細心看一下，馬上便發現她的打扮時間多花了不少，整個人的衣裝也講究和亮麗了很多，本來放在衣櫃深處、幾年也不穿一次的隆重衣服，她也挖出來穿了。

每天與母親共對的他，雖不至於覺得母親搖身變了美女。可是，作為一個四十多歲的婦人，她絕對可說得上是風韻猶存。

陸本木小心翼翼地跟蹤著母親，一如他所料，她沒有走到家附近的大型購物商場，而是馬上登上計程車，他也及時截了一輛車，鎖定她不放。十分鐘後，她抵達上次那家酒店，步進了餐廳內。他在酒店大堂坐下，把鴨舌帽拉得低低的，雙眼緊盯著酒店餐廳門口。

約半小時後，母親和那名年輕男子一同從餐廳步出，陸本木心跳加速起來，但他最不希望見到的情況還是發生了，年輕男子在接待處拿了鑰匙，就跟在一旁等候的母親走進升降機了。

陸本木木然地走到升降機前，看著它在廿四樓停下。他衝進另一部升降機，也按了廿四字。電梯將他往上帶，但他卻感到自己深深陷進地獄。

他從來沒想過這些事會發生在自己家人身上，連做這種怪夢也不曾有，因為太不合邏輯和有違道德標準了，那些只是打開報紙見到的荒唐得令人發笑的新聞而已。可是，此事就在自己眼前出現，即使他設法不去面對，但他怎也騙不過自己雙眼。

踏上廿四樓的紅色走廊，陸本木感到一陣恐怖，數度有撤兵的想法，但另一個既悲哀又憤怒的自己，又感到難以釋懷。他看著兩旁的房門，決意要追查到底。

他用了隱藏來電顯示的方法，撥了母親的手機號碼，在寧靜的長廊細聽著響起的鈴聲，當母親一接聽電話，他就掛線了。與此同時，他已找到鈴聲源頭。他佇立在那個房間前，鼓足勇氣（怒氣？）將食指指頭伸到門鈴前，可是，最簡單的一個按鈴動作，卻一直沒法做到。

最後，他像給火燒到似的縮起了手，像逃離災場似的奔出了酒店。

當他呼吸到街上的車和人的混濁空氣時，就開始覺得窒息了。終於，他感到無處可逃，從口袋裡拿出手機，撥了金莎的電話號碼。

電話另一頭傳來一陣奇怪的寂靜，他重撥兩遍，還是那種無聲的靜音。

他在沒法子之下，只好失望地掛了電話。沒料到的是，才不過五秒鐘，電話就響起來了，是金莎的聲音。

「你為何不聽電話？」金莎氣急敗壞，一把想哭的聲音：「你說過，絕對不會不接聽我的電話！」

他有點生氣地解釋：「胡說！妳才不聽我電話，我剛打了三次給妳。」

「我也剛撥了你電話號碼三次！」

他心裡發出「叮」的一聲，心軟了下來，「我們在同一刻致電給對方？」

「是嗎？」她的語氣也變得柔和了，「一定是這樣啊！」

兩人一同沉默了幾秒鐘：「我——」彼此又同時開口說。

陸本木說：「妳先說。」

「我剛才跟他的未婚妻見面了，我好難過。」

「我剛才見到我母親跟那男子到酒店房間，我好難過。」

金莎在電話那頭，不知是高興抑或悲傷地說：「真奇怪，我本來打算找你來安慰我。可是，當我聽到你也難過，我卻感到安慰。」

「我也一樣啊。」他說：「也許我們是同病相憐？」

「也許我們都心理變態？」

「由於我倆也心理變態，才會同病相憐啊！」

金莎虛弱地笑了笑，用恍如一敲便碎的聲音說：「陸本木，我想去一個地方，陪我去好嗎？」

你知嗎？
當我知道你小小年紀就想結婚，
對我來説真是個興奮的意外發現。
你知嗎？
你不小心洩露了對愛情的最大憧憬，
而我在想啊，
我會不會在你的夢想中露面呢？

第七章　尋找初戀篇III

最傷心時需要的不是安慰，
而是那麼一點點的同病相憐

在碼頭會合後，金莎帶著陸本木登上往長洲的渡輪。

在船上，兩人也沒再説讓自己感傷的事，彷彿剛才在電話裡已説清了一樣。金莎聽著MP3，摘下一邊耳筒給他一起聽，兩人迎著海風挨著坐，別人看起來就像一對戀人。

陸本木斜眼看她，她把雙腿擱在前面無人的長椅上，舒服地閉著雙眼，太陽照射在她白雪般的容顏上，令她像一個公仔多於像個真人。他只遺憾自己被海上的風吹得太清醒了，讓他知道自己該與她保持一段多遠的距離。

他不欲多想下去，就跟她做了同一個動作，兩個人四條腿就這樣放在前面的座位上，一個「請勿用腳踐踏座位」的牌子就在附近，他們也視若無睹，亦不管其他乘客如何側目，他們按照自己喜愛的方式，做自己喜愛的事。

到了長洲，金莎拉著陸本木到一家賣街頭零食的店，陸本木一生人沒見過好比網球般大的珍寶魚蛋。之後，他們去了一家小小的甜品屋，金莎推介餐牌上沒有的一道甜品「心太軟」，他就隨她意思了。「心太軟」奉上來後，她用銀匙舀了蛋糕的一角遞到他嘴邊，他欣然吃了。他從未嚐過如此讓人心甜的甜品，叫他整顆心都酥軟了。

當兩人吃飽了以後，她便帶他遠離熱鬧的大街，走到島上另一端的山林。約十五分鐘後，她在林中一個涼亭前停下來，掃視著亭內一條方形柱子，忽然說：「沒有了。」

陸本木想了一下問：「上面本來有甚麼？」

「五年前的冬天，我和小寶把共同的心願寫在柱上，希望可以實現。可惜，再來訪的時候，柱身已經被粉刷過，我倆便把同樣的話再寫上一遍。」金莎用手輕撫著柱身，靜靜地說：「後來，我和他分手了。我每年都會獨自來，來了四遍，每次見到它們被粉刷掉，我也會再次寫上同樣的話，也替他寫了。」

陸本木把雙手放進外套的口袋內，他知道自己在追求她，但自己總算是她最好的朋友啊，所以還是壓抑不了衝動的問：「你們寫了甚麼？」

「我們當時一同寫上『小寶和金莎終成眷屬』，雖然看起來超傻的，但我真想跟這個男人結婚，也許，這是每個初戀的女孩的終極夢想吧？」金莎搖搖頭笑，眼神變得有些遙遠，「可是，我倆的感情很快便急轉直下——可能也帶有希望補救的成分吧——我要求跟他訂婚，但他告訴我，他從沒有結婚的打算，在可見的將來也不會結婚。我心傷透了，恍如一切希望也在瞬間消失，便主動跟他提出分手。」

「所以啊，這裡是妳預見未來的地方。」陸本木明白地點頭，「如果心願被刷掉，妳會覺得心願是給破壞了，而不是自願放棄。只要一直保存著願望，便可等到它成真的一天。」

「現在呢？又被刷掉了。」金莎用咨詢的眼神看了陸本木一眼，「我應該再寫上一遍嗎？」

陸本木怎會不了解金莎。從她要把他帶來這裡的一刻起，她心裡早就有決定了。可是，他還不知道那是個怎樣的決定。他只知道自己會百分之百的附和她。

所以他說：「妳喜歡就可以啊。」

「你身上有筆嗎？」

「沒有。」他提醒她：「妳用唇筆也可以啊。」

金莎凝視著陸本木，忽爾感動地笑了，「陸本木！你這個人真好！甚麼也順從我！」

「我生長在女權當道的家庭，當然要學懂對女人絕對服從。」他向她敬了個軍禮，「好啦，我去附近散散步，順便替妳把風，妳慢慢寫。」

金莎卻輕輕地搖頭，「不用，我已經決定放棄他了。」

「真的嗎？」陸本木尋求確定的問。

「我來這裡，只為了看看那些字還在不在。」金莎用相當確定的語氣說：「我在想，他連未婚妻都有了，快要結婚了，我自己一個在堅持甚麼？所以，我來的目的，只為了抹走我所寫的願望，但已有清潔工人代勞了。」

陸本木大大鬆了口氣，他又滑頭地說：「就是嘛！我也覺得，那種賤男人根本不值得原諒！」

「對啊！他真是個賤男人！」她用力點頭稱是。

就在此刻，金莎的手機響起，她看到來電顯示是小寶，怔了幾秒鐘後還是接聽了，並「嗯嗯」的應對著。掛上電話後，她拉著陸本木的臂彎，興奮地說：「小寶告訴我，Amy肚裡的孩子，原來不是他的！他想馬上跟我見面！」

陸本木不免苦笑，金莎已把一分鐘前控訴遇人不淑的那個自己拋諸腦後了嗎？但他還是滿體貼地說：「我們走吧。」

金莎計算到最近的一班船，就在十分鐘後開出，再下一班就要等上一個小時。兩人加快腳步走出山林。看著金莎愈來愈急促的腳步，陸本木卻愈發的放慢，距離碼頭還有一段幾百公呎的路，金莎轉過頭看他，氣急敗壞的說：「船要開行了，快點啊！」

「妳去吧。」陸本木完全停了下來，「我真的走不動了，不用等我啦。」

金莎看看他，再看看船，她的神情一陣矛盾，有點難為情地開了口：「你自己可以嗎？」

他笑著反問：「妳的氣管舒張噴劑有隨身攜帶吧？」

金莎拍拍斜揹著的小手袋，確定地點一下頭。

她說了再見，轉身就跑。陸本木捨不得她，還想設法留住她，可是他叫自己死忍住不能開口。

他故意停下腳步，就是希望金莎會留下來多陪伴他一小時，直至下一班船開行為止，這已是他可以合理爭取的極限了。

他努力爭取過，可惜卻不被她接受。又或者，她根本不明白，他只好放她走。因為，他知道自己送不了她多遠的，他還是得把她交回初戀男友小寶的懷抱內。他一方面抱怨自己的自私自利，但內心的另一個他也受傷了，他真的提不起勁去幫助她追回那個男人。

他遠遠瞧見金莎跑進碼頭裡，過一會船就離岸了，他洩氣地挨在海旁的欄杆上，拿出手機，真想隨便找個人吐苦水，他想到的就只有晨希一個而已。

「有空嗎？」

「有啊，預約了時間的那個闊太太遲到了。」晨希的聲音本來懶洋洋的，但很快專注起來：「小陸，你的聲音好消沉，出甚麼事了吧？」

陸本木遙望著快將消失在水平線的渡輪，他深深苦笑一下，就把金莎初戀男友找她的事說了，晨希聽後，用平靜的聲音說：「是這樣嗎？我倒覺得；初戀是追不回來的。」

「為甚麼?」

「人們總說初戀不會成功，只因一切都是基於實驗的性質。就像注射在動物身上的測試疫苗，即使理所當然渴求有良好效果，但萬一失敗了也只會嘆一聲可惜而已，心裡就是不會有真正落實的感覺。初戀也一樣，之所以總以失敗收場，只因誰也不相信真會有一次性的、空前絕後的成功啊。」晨希的聲音一直都是淡淡的：「她說要找回初戀，只是想找回初戀時對感情的新鮮感吧，可是，她的心態早已改變，她不能代入當初那種傻那種天真了，所以，她很快會發現整件事是那麼的不切實際。她在追尋的，其實猶如在飛機失事以後，要找回的黑盒紀錄儀。」

「她自己會醒悟?」

「等她再一次拋棄他。」晨希說：「那麼，她就能夠永遠離開他了。」

陸本木重燃希望的問：「你的意思是，我最好按兵不動？」

「有時候，我給客人剪了個不稱心、一塌糊塗的髮型，我一定會對自己說：晨希，不用怕，不要灰心，不要責怪自己，客人的頭髮總會再生長的啊，等下一次，我會剪得雙倍的好。」

「我知道了。」陸本木吁了口氣，咬咬牙說：「我會熬過這一關的。」

金莎趕去那家Pacific Coffee，小寶已在等候了，他想走出去替她買一杯Strawberry Banana，但她不要他浪費時間，她只想知道事情的始末而已。小寶神情唯唯諾諾，她平靜地說：「我想聽真話。」

小寶雙手合十，緩緩地告訴她，Amy是他的夢中情人，他喜歡她有許多年了，但她卻一直沒接受他。直至有一次，Amy告訴他，她懷了一個男人的孩子，她請求他陪她去墮胎，他卻受不了她傷害自己身體，他請求她與自己結婚，他也會把她肚中的孩子當作自己的骨肉看待，Amy感動了，終於考慮他的求婚。

小寶說到這裡便停了下來，金莎強忍哀傷的問：「既然如此，你為何要回來找我？」

「Amy 知道了我和妳之間的事，她要求我問妳取回戒指，才答應跟我結婚。」小寶難堪的說：「她說，這是測試我對她誠意的唯一辦法，也是她答應跟我結婚的條件。」

「你通過測試了啊。」她悻悻然的說：「她約了我出來，戴著戒指向我示威了！」

小寶竟一點不奇怪的點了點頭，「我知道這件事了，但我無權阻止她。」

金莎深深吸一口氣，正色地問：「好了，你特地約我出來，把一切告訴我，是為了甚麼？」

小寶垂下雙眼，看著他面前的凍咖啡，他的髮端擋住了他的臉，讓她無法看清楚他的表情。

金莎凝視著低下頭的小寶好一會兒，「你是否想向我暗示甚麼？我們很熟悉對方了，你儘管告訴我，不用轉彎抹角啊！」她把話盡量說得具誘惑性一點。

小寶得到金莎的鼓勵，他抬起頭來，用確定的聲音說：「我希望，妳可以親口祝福我和Amy幸福快樂！」

金莎臉色大大一沉，「你說甚麼？」

「其實，我只想藉著妳去測試，我能否令未婚妻幸福。」他說：「能夠帶著妳的祝福跟Amy結婚，是我夢寐以求的事。」

金莎充滿震驚的看著小寶，忍不住氣得大叫：「你到底怎樣了？她是不是對你下降頭了？五年前，你說自己是個絕不會結婚的男人，五年後的今天，你不單止要跟這個女人結婚，還要接收另一個男人的孩子？」

金莎的聲浪讓咖啡室內的客人側目，小寶也動氣了，他壓低聲音說：「是的，我說過絕對不會結婚！但我真正的意思是：我絕對不會跟妳結婚！」

金莎狠狠地盯著他問：「既然如此，你為何要跟我在一起？」

「那時候，我跟妳拍拖，只是為了Amy！」

「為甚麼？」

「我從妳身上，處處看到她的影子。」

金莎給小寶的話傷透了，她感到莫大的侮辱，簡直無地自容。她猛地站了起身，怒氣沖沖的走出了咖啡室。當她走了兩條街後，很快就感到後悔了，她後悔就這樣草草結束這次備受羞辱的會面。

她決定折回去，理直氣壯地賞他一個巴掌才離開。

金莎走到咖啡室的門口，卻發現Amy坐在她剛才所坐的座位上，正跟小寶輕輕一吻。她條件反射地藏身到一處暗角，眼睜睜看著兩人有講有笑的，她的一股氣勢，迅即盪然無存。

十分鐘後，Amy上洗手間，金莎偷偷繞過小寶身後，也跟了進去。

Amy在洗手盆前補妝，她在大鏡子的反映中見到金莎，一點也不驚訝的說：「我知道妳還在這裡。」

「妳把我引來了，到底想怎樣？」

「我對小寶作了那麼多不合理的要求，包括要他找妳、要求他向妳索回鑽戒、甚至要求他得到妳親口祝福我們，只想令他察覺自己到底有多傻，但是，他這個傻瓜，竟通過了所有測試！」Amy用平板的聲音，說出驚人的話語來：「所以，我希望妳鼓起勇氣，從我手中搶走他。」

「甚麼？」金莎難以置信地皺起眉。

「他太傻了，滿以為自己能夠做孩子的父親、我的丈夫。」Amy一語道破：「這個傻瓜不明白的是，我喜歡他，卻一點不愛他。」

金莎替小寶難過起來，她不得不承認他深愛這個女人。可是，這個女人對他的感情卻太淺薄了，她只想用盡一切理據來支持自己不跟他一起。這種人可以把另一方任意玩弄於股掌之間，只因她明知自己在這段感情上，擁有了絕對的優勢。

可是，她提出那些荒謬得可笑的要求，卻弄假成真的驗證了小寶對她的忠誠。

Amy見金莎不說話，便開口道：「我和他現在就走。妳馬上追出去，在我手中奪回他，我就會放手。否則，我會要了他。因為，對於一個甚麼也沒有的女人來說，最想要的，只是一個男人的肩膊。」她注視著金莎，語帶威脅的說：「這是妳最後的機會了，剩下的問題是：其實，妳愛他的程度有多深？」

金莎看著大鏡子裡的自己，再看看鏡前的Amy，忽然記起小寶的一句

「我從妳身上，處處看到她的影子」，她突然明白小寶的意思了，也明白為何首次見到Amy就有一種莫名的熟悉感。因為，各據一方的時候是不察覺的，但只要把兩人重疊，便會發現兩個人無論在臉孔與身形上，竟好像對方的複製品一樣。

Amy正欲轉身離去，金莎下定決心似的喚住她，「Amy。」

「甚麼？」

「我不會追出去的，妳贏了。我由始至終也是妳的替身而已。」金莎承認失敗地說：「但我可以請妳答應我一件事嗎？」

Amy臉上流露出一種動搖的表情，又連忙把情緒壓下去，保持平靜地說：「妳說吧。」

「少一點喜歡他，愛他多一些。」

Amy雙眼紅了一圈，「這是一個祝福嗎？」

「這是我這個舊情人的請求。」金莎堅強地說：「說到祝福，我會祝福你倆幸福快樂。」

Amy臉上終於露出寬心的微笑，對她輕輕地頷首，就推門出去了。

剩下金莎一人，注視著鏡子裡的自己，她感到自己恍如被剖開了兩半。

當陸本木滿身疲倦的踏進家門，一句正待說出口的「我回來了！」即時吞回肚裡去，因為屋裡面的情況足以令他嚇破膽，只見母親正跟那個少年坐在客廳的沙發上談笑自若。

他當然不以為自己眼花，頃刻就火上心頭，第一時間就想衝過去大興問罪之師，或者，乾脆去揍那人好了！這個時候，大姐和三姐端著餸菜從廚房走了出來，看到他便說：「小陸，快洗手，要吃飯了。」三姐暗暗向他打了個眼色。

陸本木因著三姐這個眼神，怒意稍微消退，才不至於大吵大鬧。但他心裡想，到底這間屋裡發生了甚麼事啊？

母親轉身見到陸本木，臉上露出緊張之色，她用有點囁嚅的聲音說：「小陸，我來介紹一下，這是Ken。」

輪廓分明的Ken向陸本木微笑著點頭。陸本木則木無表情的看著Ken，連一個最簡單的招呼也擠不出來。

母親見他沒反應，氣氛當即僵住了，於是補上一句：「Ken是你父親最好朋友的兒子。」

陸本木呆了一下，雖然看見母親的神情，但他還是滿腹疑惑，只好充滿保留地說了句：「你好。」

就在這個時候，廁所門打開了，一個穿著合身西裝、儀表優雅的中年男人走了出來，他見到陸本木，雙眼頓時發亮起來，緩緩步至他面前，尋求確定的問：「你就是陸本木嗎？」

陸本木用疑惑的眼神看母親，母親臉上忽然一紅，解釋說：「他是何先生，你父親最好的朋友。他剛從加拿大回來香港。」

雖然如此，陸本木就是下意識的防範著眼前這個男人，對他有一種奇怪的敵意，但何先生已熱情地搭著陸本木的肩膀，直視著他，有點激動地搖晃著他的身子說：「你就是陸永仁的兒子了！陸本木！我第一次見你的時候，你是個只會哭的嬰兒，現在你已經長那麼大了！」

陸本木被他的熱情弄得不知所措，卻又不敢撥開他的手，只好讓他自動停下。

何先生臉上充滿感動的說：「陸永仁泉下有知，一定會感到很安心！」

陸本木聽到何先生提起自出娘胎以來也未見過的父親，不知該作何反應，只好抿著嘴巴不說話，他只知道自己對這個何先生的感覺出奇的壞。在不熟悉的人面前，他甚少表現得不友善，起碼也會保持著虛假的禮貌，但不知何故，他對面前這個模樣和藹可親的男人，就是有一份莫名的抗拒。

一直主掌廚房大權的大姐，最關心的還是能否炮製一頓美味晚餐，「大家過來吃飯吧，餸菜要涼了。」

五個人圍著圓桌而坐，何先生邊嚐邊頻頻讚好，他說姐姐做的菜有家的味道，唐人街的菜館實在不值一提，這讓大姐聽得既滿足又樂透。

後來，從與何先生的閒話家常中，陸本木得知了一點關於他的基本資料：他五年前喪妻；他住加拿大時，不幸地住在一個退休藝人的隔鄰，導遊每天皆帶了一車一車的遊客來拍照，讓他不勝其煩；還有的是，他的兒子Ken沒有來過香港，他總教不好他的中文，但為了溝通，他為兒子學了一口流利的英文。

陸本木回憶起來，整件事只是一場教人失笑的誤會，母親是在酒店裡跟Ken茶敘，然後上房間探望何先生，事情並不如他想像般醜惡，他應該要鬆一口氣了。然而，最奇怪的是，他心底裡卻冒起一陣更深不見底的不安。

而這種不祥的預感，在晚飯到了尾聲的時候成真。

何先生環顧在座幾個人，神情嚴肅地宣佈：「我移民加拿大十七年了，這次回來香港，是為了一個重要的人，為了一件重要的事。」何先生凝視著母親，彷彿要得到她的同意，母親只是滿不好意思的垂下眼來。

「我希望可以迎娶你們的母親，成為我的新太太。」

此話一出，陸家三姐弟皆神情錯愕。陸本木滿以為脾氣暴躁的大姐會拍案而起，但她只是沉默著而已；三姐更不在話下，她的性情一向溫柔和善，連大姐也沒有行動，她自然也不發一言，但她倆的反應仍是平靜得教陸本木震驚，他感到自己喉頭乾涸，卻必須開口說一些話，一開口竟是連自己也覺得太倔強的語氣：「很對不起，何先生，但我從沒有聽過母親提起你，一次也沒有！況且，你兒子也那麼大了，你是不是該再慎重一點考慮這件事？」

餐桌前的眾人頓時沉默下來。Ken雖聽不明白他的話，但也感覺到氣氛不對勁，只得靜觀其變。

大姐猛皺著眉，一副直斥其非的態度說：「小陸，你對長輩太沒禮貌了，快向何先生道歉！」

何先生卻溫和地搖頭，「不要緊，小陸說得對。我也知道自己太唐突，該說抱歉的是我。」

這個時候，陸本木放在房間的手機響起，他借著這個機會，毫無表情的站了起來說：「我吃飽了，你們慢用。」他走進房間，心神恍惚地接聽了金莎的來電。

「陸本木，下來一下！」

「下來哪裡？」他想到自己家裡的景況，苦笑著問：「下地獄啊？」

「你家不是剛好在十八樓嗎？」她聲音很不友善地說：「下十八層地獄去吧！」

陸本木還想說甚麼，但金莎已掛了電話，他罵道：「發甚麼脾氣啊？我也有脾氣的啊！」

他癱瘓似的挨在電梯的L字角位，一如金莎所說的，真有種下地獄的感覺。在這一刻，他真不知該如何面對即將發生的一切，他為了母親私下的決定而感到哀傷，甚至覺得那個一向毫無主見的母親是假裝的。他也為了大姐出奇的沉默而氣憤，覺得全家人聯手把他孤立了。

走出大堂，金莎正站在大廈外，一手夾著香煙，正狠狠地抽著。她見到他，用悲痛的神情說：「我跟他完了！」

陸本木不安好心的說：「咦？我還以為，你們根本一早完了啊！」他要報復她剛才無理的呼喝。

金莎惘然地看著他，拉長了聲音說：「陸——本——木！你想作反啊？你不關心我啦？」

陸本木一聽到她這樣喊他，心就軟了大半。她就是喜歡這樣連名帶姓的呼喝他，他就是喜歡被這樣的她呼呼喝喝。他從她指縫間取過半根煙，學她一樣狠狠地吸一口，再向天空的方向呼出，鎮定一下情緒才說：「我只是心情不好而已！妳放心，我會永遠關心妳，我會站在妳那一邊！」

「這是承諾嗎？」

「不，這是我有自知之明。」

金莎聞言感動了，她凝視著他片刻後問：「可借你的肩膀給我一用嗎？」

「妳何時才還我？」陸本木失笑，「沒有了肩膀，生活會不大方便。」

「你真賤！」金莎用拳頭猛力的搥他的膊頭，他默默承受著，想要減輕她積壓著的怒氣，但她很快便失去所有氣力了，她倒進他懷裡，像一頭不想見光的鴕鳥般把頭猛往他胸前鑽。

陸本木知道她夠傷心了，他光明正大的把她抱入懷內。與此同時，他卻擔心自己的傷心會不小心傳遞給她，因此，他甚麼也不要再想下去了，只是專注地安撫她。

金莎那恍如弓箭拉得太緊的情緒，終於狠狠地爆發了，她的淚水崩堤似的湧出來。她把臉深深埋在他胸前，哭得動地驚天，他緊緊地抱著她，輕拍著她的背，希望可以分擔她一半的傷心。

他滿以為見到她為其他男人傷心，自己就會勝利地快樂起來，可是他誤會自己了。只有見到她真心的笑容，他才會亮出笑容。

萬一她哭了，他一定也會露出微笑，但那些快樂的表情，統統都是為了安慰她而假裝的。

送金莎回家後，陸本木故意等何先生和Ken離開了，在大廈外見到全屋的燈光也關了，他才回家去。

洗澡過後，陸本木也沒亮燈，便打開電腦，看到金莎的個人網頁，她已把第8位的「尋找初戀」降落第9位，而「給我掛賬的人」則上升到第8位，陸本木托著腮入迷地觀看，興奮得要死了。

尋找初戀

分手後，我才發現自己原來那麼喜歡他，可惜我沒能堅持下去，始終沒去找他回來。我們的願望柱，我去過四次，那裡每次都不一樣。我在柱上寫給他的話，也被粉刷掉，他永遠也看不到了。願望柱告訴我這世界上沒有甚麼願望是永恆不變的。不過我仍然相信那年冬天，拿走了我的初戀的他，曾真心喜歡過我。

尋找初戀．殘念！

「你升到第8位啦？」

在寂靜的斗室裡，一把聲音突然從身後傳來，陸本木嚇了一跳，他轉頭見是三姐，愉快地說：「對啊，我正在穩步上揚嘛！」

三姐搭著他肩頭說：「繼續努力啊！」她一手按在剛才被金莎搥打的地方，他開始覺得痛了。

「當然啊，我最害怕不進則退！再退兩步就會掉落懸崖了！」

「這個我可以放心。」三姐說：「我一向對我弟弟充滿信心。」

陸本木牽了牽嘴角，他雙眼注視著電腦熒幕，卻問站在身後的三姐：

「姐，妳也覺得母親應該再婚嗎？」

三姐靜默了一刻後說：「如果她可以得到幸福，我們做兒女的，憑甚麼去阻止呢？」

「就憑我們不能將一個陌生的男人尊稱為父親吧？」

「小陸，當你出生時，父親已不在了。」三姐的聲音由始至終也很溫柔，但她說的話卻叫他感到出奇：「說真的，你真的介意嗎？」

陸本木這才轉過臉來看她，用微慍的聲音說：「說真的，妳真的不介意嗎？」

三姐不作聲了，只是用一種難以說明的神情看他。

陸本木沒有再逼問她，因他已知道她的立場，這大概也代表大姐的立場了吧？他感到失望透了，只得笑著問她：「妳要用電腦嗎？不用我關機了。」

三姐搖搖頭，「不用了，快睡吧。」

兩人互道晚安，當三姐返回房間後，陸本木感到寂寞極了，他在MSN裡找到金莎，她正在上線中，他像找到了救星一樣，給她打了一行字：

六本木：我是不是第一個為妳赴地獄的男人啊？

金莎朱古力：我只知道你是第一號笨蛋！

六本木：我睡了啦，我會掛念妳！

金莎朱古力：好吧，我批准你掛念我啦！

六本木：妳呢？

金莎朱古力：我不用獲得你批准啊，我要掛念你的時候，自然會掛念！

六本木：晚安！可以送我一個吻嗎？

金莎朱古力：哈！不可以！晚安！

陸本木關上電腦，感到心情好了不少，他躺到床上，閉上了雙眼，想著金莎入睡。他沒有告訴任何人，其實，只有繼續被掛念，只有被放大地提起，只有不輕易一筆勾銷，才可以證實一個人的存在，又或者，那個人曾經真實地活過。

而他對金莎的感情、對甚至連一面也沒見過的父親的感情，也不過如此。

如果連傷心也可以交換，
你我一定重疊了對方某部分的悲痛，
彷佛車輪輾過鋁罐以後，
罐身被壓得扁平的那種形狀，
我們突然變得很一致了。

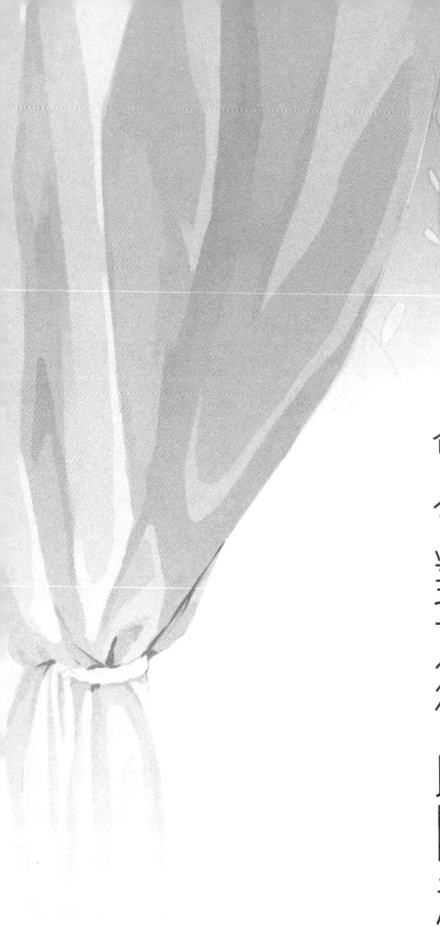

第八章　晚間加厚護墊篇

過分關心一個人，
會令對方從此關起了心

金莎經常失眠，原因不明。

因為上學而要早起床的她，到晚上理應很累了，然而，每晚凌晨過後，她卻益發精神。很久以後她才明白，其實她只是不願睡，因為她覺得夜晚才是真正屬於自己的，在她百多呎的睡房內，她可以為所欲為，誰也管不了她。

她會聽音樂或收音機、打電玩、看漫畫、上網寫日記。母親甚至給她添了一部內置DVD的電視機，讓她看影碟解悶。但無論她做甚麼，她都會開著電腦和長期保持著上網狀態。

那是因為，在的她MSN名單內，有一個她等待著的人。

金莎朱古力：等你好久了！

晚間加厚護墊：我才剛回家，便立刻打開電腦，希望可減少妳等待的時間

金莎朱古力：哈！是真的還是哄我？

晚間加厚護墊：千真萬確！

金莎朱古力：你為何知道我在等你？

晚間加厚護墊：是心靈感應吧

金莎朱古力：今天是我倆相識一周年的紀念日，你記得嗎？

晚間加厚護墊：當——然——記——得——！

一年前的這個晚上，金莎在互聯網下載MP3鈴聲之際，她的MSN彈出了一條訊息，有一個人要求加進她的MSN名單內。她用的這個是私人戶口，有別於在學校做功課要給同學的公開戶口，若不是相熟的朋友，根本不會知道。

看著熒幕上「加入」和「封鎖」兩個選擇，她想了一下，害怕是她哪個朋友用了新電郵登入，因此，她就把那人加進來了。心想如果是個白撞，馬上就把他封鎖或擲進黑名單便行。

話。

那個網名「晚間加厚護墊」的人，被金莎批准加入，第一時間便跟她對

晚間加厚護墊：明天一點鐘在尖沙咀地鐵站集合啊！千萬別遲到

金莎朱古力：咦？明天不是約好去銅鑼灣逛街嗎？

晚間加厚護墊：天啊！明天我們約好一起過澳門的，大伙兒説要去威尼斯人賭場賭錢，你失憶了？

金莎朱古力：是你記錯了。我下個月才十八歲，怎會約你們去賭錢啊？

晚間加厚護墊：你是Peter嗎？

金莎朱古力：哪個Peter？我是Sara！

晚間加厚護墊：抱歉，我跟朋友講電話時抄下這電郵，一定是聽錯了……對不起！打擾妳了

金莎朱古力：哈！沒關係。碰巧我明天約了朋友一點鐘見面，所以也把你當作她呢！

晚間加厚護墊：雖然我的個人圖片顯示的是一頭狗女，但我可是個堂堂男子漢啊！

金莎朱古力：牠好可愛。你的狗？

晚間加厚護墊：對啊！牠是一頭曲架。狗女，名字叫牛雜

金莎朱古力：哈！好難聽的名字！為何叫牠牛雜？

晚間加厚護墊：因為，牠最愛就是吃牛雜！有次買了牛雜回家，牠趁家人不注意就偷偷吃光了！

金莎朱古力：咦！牛雜包裝袋內的竹籤呢？

晚間加厚護墊：幸好牠沒吃下，但全家人也嚇壞了！後來，我們買牛雜時總會買兩袋，有一袋是給牠獨享的！

金莎朱古力：哈！叫牠牛雜準沒錯！你呢？你是個男生，為何叫自己做「晚間加厚護墊」？

晚間加厚護墊：是朋友給我開的玩笑，因為我是個常常失眠的夜貓子，朋友們不論多晚在MSN也能找到我談心，所以他們戲謔我是晚間加厚護墊，有了我就不用擔心了！

金莎朱古力：哈！我明白了！你這個人也真夠大方，懂得幽自己一默啊！

晚間加厚護墊：我未婚妻也這樣說

金莎朱古力：你有未婚妻啦？哈！她該不是牛雜吧？

晚間加厚護墊：不是啦，但牛雜是我和她一同收養的，養八年了！

金莎朱古力：嗯，長情的男人哩！

晚間加厚護墊：對啊，妳有養狗嗎？

金莎朱古力：我很想養一頭小小的西施狗，但我家大廈不准養貓狗晚間加厚護墊：真可惜！妳有甚麼不會讓鄰居投訴的寵物想養嗎？

金莎朱古力：看過《海底奇兵》後，我想養小丑魚

晚間加厚護墊：我也看過《海底奇兵》，我想養鯊魚！

愈是談下來，金莎愈覺得二人投契。就是這樣，她每晚也找他談天。正如他所說的一樣，他真是個夜貓子，每到凌晨兩三時的時候，當她眼皮也睜不開，要倒頭大睡了，他仍繼續在上線中。

這樣就過了一年了，這個人真的成了她每個失眠夜的寄託。

就算她明知這個「晚間加厚護墊」已有未婚妻，而她也試探過他，得知他在現實生活裡有很好的社交圈子，因此與網友之間只會作網上交流，不會約出來見面，但她仍覺得這個錯摸的巧合，說不定真是場不可多得的緣分哩！

金莎有點渴睡，於是走進廚房，用新添置不久的咖啡機沖了一杯即磨咖

啡。路過母親房間的時候，她見到房門底透出光線，她就知道她還沒睡。身為城中著名財經專家的她，因為歐美股市的交易時段在香港晚上開始，所以她總要通宵達旦地工作。但每個大清早，她又會一副精神奕奕的樣子出現在電視的財經台，充滿自信地為廣大觀眾分析全球的大市走勢。

金莎捧著瓷杯走到客廳的魚缸前，注視著四條「Nemo」在水中愉快地游著。就在這個時候，母親從房間走了出來，跟廳中的她打了個照面，問她：「囡囡，還不睡？」

金莎敷衍地答了一句：「快睡。」

金莎檢查一下魚缸暖管的溫度後，因為不欲再碰見母親，於是趁她從廁所走出來之前返回自己房間，並好好的鎖上了門。

自從何先生踏入陸家，宣佈要迎娶母親後，陸本木沒有因真相大白而鬆了口氣，心情反而加倍煩躁了。

觀乎大姐和三姐的態度，竟不約而同地偏向支持何先生——起碼兩人對母親再嫁沒表示反對——這使陸本木感到匪夷所思，他搞不清楚兩人的想法，只感到滿心失望。

他覺得自己孤立無援，忍不住找二姐商量。二姐把整件事聽完，一副義憤填胸的樣子，用她佈滿水晶指甲的手掌一拍桌面，說：「那老頭幾多歲了？他兒子年紀也不小，他發甚麼神經？打算分一半身家給我們陸家嗎？你媽更莫名其妙，都快要擺五十大壽了！這年頭才再嫁，不怕變了親戚朋友的笑柄？」

陸本木呷了一口凍檸茶，用手托著腮，苦笑著說：「我心裡的話，全給妳說出來了。」

二姐想了想，分析著說：「小陸，你也知道，我那時堅決要搬出去住，跟她們吵翻天，我在這個家已沒地位，恐怕更沒有甚麼發言權了！」她頓了一頓，續說下去：「老實說，家裡的事我根本不願去管。那是因為，妳大姐總愛擺出一副唯我獨尊、霸氣淩人的模樣；妳三姐徹頭徹尾就是條應聲蟲！我排行第二，就算知道自己性格很火爆，但在這個家卻是最不管用、最無立足之地。也有可能，我就是不斷承受著這種壓逼感，才會選擇搬出來吧！」

陸本木呆呆看著杯內的檸檬好一會才問：「妳覺得我也該搬出來，當作抗議嗎？」

「你找到女人養你嗎？」二姐向他苦笑搖頭，「況且，若你也走了，母親的婚事更沒有牽絆了！」

陸本木用力點了一下頭。

「你只有表現出對那個何老頭的不滿，他才有可能打退堂鼓啊！」二姐說：「到時母親可能會認真考慮自己真正需要的，到底是愛情抑或家庭，事情才會有轉機。」

「我明白了。」他嘆口氣說：「我會留守在家。」

當陸本木返回家中，正準備要裝一副反叛兒子的模樣時，切著薑蔥的大姐，卻罕有地把他叫進了廚房。

「我今天開始教你做菜。」

「咦？」陸本木簡直呆住了。

家中的廚房和關於廚房內的一切事宜，一直由大姐坐鎮。完全操控陸家煮食大權的她，最討厭別人在她的地頭亂搞，連母親也不例外。

「如果你自問記憶力好，你可以用腦袋去記，但我不以為你辦得到。所以，你最好拿本簿記下來！」大姐說：「煮菜的每個程序，我只會說一遍，不要給我發現你弄錯了！否則，在下一次終於弄對之前，你會給我臭罵得很難看！」

陸本木聽得張口結舌，他真懷疑大姐洞悉了他的計劃，要給他一個下馬威。他想想沒可能，除非二姐暗中向大姐通風報訊，但她倆不和已是浮面的事。因此，他感到整件事匪夷所思。

「你站著幹麼？」大姐瞅著他，馬上不耐煩了，「我開始了，首先教你做菜前的準備工作——」

他打斷她的話：「大姐。」

「甚麼？」

「我一向負責全屋的清潔工作，對於煮菜——」

「你一出世就懂得抹窗和洗廁所嗎？」

「……不懂。」

「我一出世也對煮菜一竅不通，我現在教你煮菜，你跟我學就是，不要多廢話！」

陸本木碰了一鼻子灰，他不忿地反抗說：「為甚麼妳不教三姐？」

「用不著理由。」她一臉冷峻，毫無選擇餘地的說：「我決定教你，你就要虛心地學！」

他記起二姐的話，咬咬牙，仰起臉孔說：「我不想學。」

大姐盯了他一眼，「沒問題，給我滾出去！」

回到自己房間，他覺得大姐簡直不可理喻，但回心一想，她根本就是個不可理喻的人，他也已經忍得夠久了，所以，他為了剛才對抗成功而暗自高興。

晚飯時分，三姐叩門叫他出客廳，坐到餐桌的時候，他發現桌上沒有他的食具，沒有碗、沒湯匙和筷子。三姐見狀便欲站起來，「我替你拿。」

「不用替他拿，妳坐下來！」大姐狠狠地掃了三姐一眼，站起一半的她只好坐回去，「我今晚只準備了三人份量的飯菜！」

「太好了！我今晚飽得想作嘔！根本不想吃！」話畢，他大力的站了起來，椅腳在地板拖行著，發出一陣難聽的聲音。

母親看到兩姐弟吵起來，便著急地說：「小陸，你有甚麼事惹姐姐生氣了？快向她道歉啊！」

陸本木不理她，氣憤難平的跑進了房間，「砰」一聲關上了門。他不用懷疑也知道，大姐做那麼多，只為了懲罰他對抗母親的婚事。

他整個人挨在門上，身子慢慢滑到地上，轉成蹲著的姿勢。他用雙手緊緊環抱著膝頭，凝視著窗外的夜空，靜靜地、悲傷地低喃道：「爸，我知道你是個正義又勇敢的男人……如果你還在生，你一定會好好保護我、替我主持公道……」

金莎發覺事情不妥，非常不妥。

事發在早上上學的時候，因為金莎睡過了頭，出門的時候，乘搭地鐵肯定會遲到，所以她在家大廈前截計程車，卻一輛空車也遇不到，就在這時候，一輛黑色BMW停在她面前，自動窗滑下來，車內穿了一身黑色西裝的母親說：

「囡囡，上車吧，我載妳回校。」

金莎看看混亂一片的路面，再看看手錶，只好不情不願跳上車。

一路上，兩母女也沒說話，車上播放著電台廣播，正好緩和了那種相對無言的悶局。

把臉一直朝向車窗的金莎，當聽到電台又開始匯報財經數字時，她感到一陣噁心，她把頭轉向車上那套先進的音響，按動了CD開關，CD播著的是布拉姆斯的第五匈牙利舞曲。

金莎沒好氣，她拉開了座位前的小雜物格，只見裡面有五六隻CD，全部都是交響樂，她索性放棄，轉回收聽電台的廣播，不禁說了句：「妳聽的音樂可真夠悶。」

「對不起。」母親說。

金莎聽到她道歉，覺得更悶了，又把頭轉向車窗。

接近學校門口，當她正想開口說：「在這裡停就可以了。」母親卻像聽到她心裡的命令，把車子早一步停下了。

她沒有說一句「拜拜」就下車了。母親此時說：「囡囡，妳今晚回家吃飯嗎？」

「回家吃飯盒嗎？我想我自己懂得買。」她留下一句挖苦的話，就關上了車門。

當她走了幾步，卻聽到身後傳來一聲呼喊：「Sara！」她一下子未來得及反應，直至聽清楚那是母親的聲音，她才疑惑地轉過身來，看見母親手中拿著一把傘子，著急地說：「Sara，妳忘了拿雨傘。」

她的確大意把雨傘留在位子上，只好折回去拿。

BMW遠去，金莎的腳步卻慢下來，她終於想到自己在疑惑甚麼，只因她從來沒有在母親面前，提及自己的英文名叫Sara。

小息時分，金莎和陸本木在食物部飲汽水，向他提起這件事，陸本木聽完只是嘻嘻地笑，「妳太多疑啦！會不會你忘記跟妳媽提過了？」

「她不可能知道啊！」她一邊咬著飲管，一邊沉思著說：「我小時候的英文名叫Sasa，但卻跟那家化妝品店的名字相撞了，我每次聽到別人喊我，也會毛骨悚然，所以，我才逕自改名叫Sara，但我改名的事只有相熟的朋友才知道。我母親並不知情，她只會『囡囡』、『囡囡』的叫我。」

他有點心不在焉的想了想：「會不會有朋友打電話去妳家，說要找Sara，所以妳母親才發現啊？」

「我給朋友的都是我睡房內的私人電話號碼，就算電話響，她也不敢接聽的。」

「那就確實有點兒奇怪啊！」他反問她：「妳為何不直接問她？」

「我跟母親不太熟絡。」

「明白。」陸本木是真的明白。

金莎瞇起雙眼說：「我一定要調查出來。」

「放心，妳姓金。」

「那又怎樣？」

「金田一也姓金啊！」

「陸本木，你這個算是笑話嗎？」

「不好笑嗎？」他嘆息著說。

「因為你有心事啊！」金莎斜看他一眼，「每次你說的笑話引不到我笑，我就知道你有心事。」

「妳有想像過妳母親有再嫁的一天嗎？」

「那麼，我就有搬出去的理由了。」她說：「哈！因為後父總會侵犯繼女的，不是嗎？」

「哎喲！妳看那些變態AV片太多了！」

「說真的，如果母親再嫁，我半點也不介意。」金莎的神情正經了起來，「尤其，當我看過父親和她吵鬧的現場實況，我總在想，這兩人當初怎麼會成為夫妻的啊？如果說他倆短短八年的婚姻有甚麼貢獻，也許就是生下了我吧！」

陸本木把手中的可樂喝光，也沒有心情拿去按樽，隨手就把它擲進了垃圾筒內。他說：「我卻不這樣想。雖然，我一輩子也沒見過父親，但我是打從心底裡尊敬他的。因為，在一場大火中，他犧牲了自己，把全家人從災場裡救了出來！對我來說，他的地位永遠無人能夠取代，就算他已不在人世，我也會把母親的改嫁，視為對他的不忠！」

「既然你對母親再嫁看不過眼，你就該好好運用你在家中的影響力啊！就算力量再小，但總有機會改變現狀啊！」金莎說：「我也支持你二姐的想法，若你也撒手不管，你母親的婚事就更沒有障礙了！你要知道，現在反對和支持這件婚事的比率，是二比三。」

「不，妳也加入了，是三比三。」陸本木咬牙切齒地說：「妳說得對，我不該跟大姐搞對抗，反而要討她歡心。那麼，我才有可能收買她。只要她和三姐也反對，這樁婚事鐵定要告吹！」他躊躇滿志的笑了。

金莎滿心疑惑的回到家，發現了更多奇怪的事情。

她洗澡的時候，發現快用完的沐浴露已經換了，換上了她喜歡的橙味；然後，她又發現放在客廳露台的那一盆富貴竹無緣無故失蹤了，不知何時換成她一直想要的黃色鬱金香。

她懷著莫名其妙的心情返回睡房，如常的開了電腦，上網到處瀏覽，一陣靈機忽然閃過，她連忙打開最近的MSN自動儲存紀錄，找到一段跟「晚間加厚護墊」的對話：

晚間加厚護墊：我最討厭母親拿我跟她朋友的兒子比較，有甚麼好比較的？她為何要拿我跟月薪四萬的會計師比？如果我把她跟五十歲但皮膚保養得像三十歲的朋友的母親比較，她也很難受吧？

金莎朱古力：我最討厭母親甚麼呢？我想，就是她每次也叫我「囡囡」吧！在家裡肉麻地叫沒問題，但一走到街上，我只想她叫我Sara！

晚間加厚護墊：我也討厭母親叫我小時候的乳名，都廿幾歲人了，放過我吧！

金莎朱古力：記得有一次，她突然來了我學校門口接我，還在車中大聲叫我「囡囡」，我真的萬分不願意才應了她！她明知自己幹哪一行，就不該把車子駛到校門前示眾啊！

晚間加厚護墊：她幹哪一行啊？真有這麼不見得光嗎？

金莎朱古力：她啊？她是個半紅不黑的偽人

晚間加厚護墊：藝人？

金莎朱古力：偽人！

金莎回看這段對話，開始理出一點頭緒來，她又不斷搜尋過去更多的對話紀錄。

金莎朱古力：哈！我現在每天洗澡後，也像被拋進過洗衣機一樣

晚間加厚護墊：Y

金莎朱古力：我母親新買的那枝茄士咩味沐浴露，味道簡直與柔順劑無異！

晚間加厚護墊：我不比妳好多少，我母親買的碌柚葉沐浴露，總讓我覺得自己像剛出獄回家！

金莎朱古力：哈哈哈哈哈！

晚間加厚護墊：我喜歡用Dove。那牌子添加了乳霜，洗澡後皮膚也不覺乾燥。妳呢？喜歡哪隻牌子呢？

金莎朱古力：我用過最喜歡的，是一隻記不起名字的日本牌子香橙味沐浴露，只在City Super有售，但最近缺貨，母親就給我買柔順劑了！

晚間加厚護墊：不如直接拿柔順劑去洗澡就好囉！一物二用！

金莎朱古力：提議不錯！

金莎朱古力：我今天和男友去了維園花市，見到漂亮得要死的黃色鬱金香，真想買回家去

晚間加厚護墊：為何不買？

金莎朱古力：都是一盆盆的，捧住了就沒心情逛花市啊

晚間加厚護墊：叫妳男友捧啊！

金莎朱古力：他比我還要瘦弱，只夠力拿吹氣斧頭！

晚間加厚護墊：沒買也好，據說鬱金香的壽命只有幾個星期

金莎朱古力：沒問題啊，那短短幾個星期起碼會叫人看得心曠神怡嘛！總好過我家那盆富貴竹，它看著我兩年時間了，我倆快可終身廝守了！

晚間加厚護墊：最怕它只想跟妳共富貴，不能赴患難

金莎朱古力：哈！討厭死！

金莎繼續找下去，臉色愈來愈鐵青。

她在MSN提過的生活細節，在現實裡逐一成真，她再看看不久前裝修了的湖水藍色睡房，突然覺得這個家每一吋地方也很可怕。尤其，當她向晚間加厚護墊投訴過，她不再鍾愛粉紅色色調的房間後，母親突然在一個星期後就決定裝修家中幾個房間。

那部新咖啡機也是。晚上喜歡喝咖啡提神的她，也投訴過三合一即沖咖啡粉難喝，三個星期後，廚房就多了部名牌的即磨咖啡機了。

如今想起來，她有理由相信——不，事實上她已經不用懷疑了，只是不願證實——母親長期在偷看她的MSN紀錄，一直透過偷看她與朋友們的對話內容，得悉她的一切喜惡，從而將家中的一切改造。

令她感到詫異的是，要開啟她房間內的電腦，一定要先輸入多重密碼，除了她自己以外，根本無人知曉，她也從沒把密碼寫下來，只用腦袋去牢記著。

母親到底是用甚麼黑客程式闖進去的？

她想到更恐怖的一點，就是母親會不會在她房間裡裝置了針孔攝錄機？幸好她尋遍了整個房間，也無任何發現。

可是，氣憤難平的金莎，已決定對母親大興問罪之師。這一次，她要叫她死得很難看。

陸本木一放學便回家，時間比起平時都要早，大姐正在廳中的餐桌上畫著草稿畫，看到他回來，只瞄了他一眼就低頭工作了，反倒是他首先打招呼：

「大姐！我回來了！」

大姐擺出一副愛理不理的表情，他滑頭的問：「大姐，妳還在生我的氣啊？」

「你甚麼事了？」

「妳現在有空嗎？」

「沒有。」

「我想過了，我還是想學煮菜。」陸本木說：「說不定，它會變成我的一門求生技能，我有一天會變成那個靚仔廚師Jamie Oliver，成為萬千少女的偶像！」

「不代表我仍想教你。」

「沒關係！我自己試試看。」

他把書包拋在地上，把校服白恤衫的衣袖挽起，就跑進廚房去了。不出所料，大姐馬上也跟著來。一早說過了，她絕不容許別人在她的私家重地搗亂。

從雪櫃門後探出頭來的他，得逞地笑了，「我要從何學起？」

這一天，大姐教了他入廚的基本功，例如蔬果和肉類要放置在雪櫃哪一個位置，打開了而吃不完的罐頭要怎麼處理、薑要怎樣拍、蒜頭怎去皮、肉要怎樣醃、菜怎樣摘葉。

他拿著拍子簿，認真記下了每個步驟和重點，遇到甚麼問題就即時問，他勤學的態度令大姐感到很滿意。最後，大姐示範了最簡單的一道炒雞蛋，他照做了一遍，她試食一口，評語是「你自己吃光它」，但臉容已沒開始時繃得那麼緊了。

他開開心心的嚐著自己生平首度烹調的炒蛋，滿以為真的嚥不下去，但他覺得出乎意料地好吃。他誇口道：「原來做菜也不太難啊！」

「你不要太得意，做菜是知易行難的事情，吃得下未必等於做得好。」

「我相信自己只要多練習便行！」他雄心壯志地說：「或許，妳會訓練出一個金牌大廚也說不定呢！」

「等著瞧。」大姐悶哼了一聲：「明天早點回家，我教你另外一些。」

「好啊！」

陸本木回到房間裡，臉上的笑容就消失了。他看看自己被滾油濺到一片紅腫的手背，整個人更沉默了。他忍耐著這一切，甚至逼令自己以德報怨。他知道自己必須當個乖弟弟，他的意見大姐才會聽得進耳，他希望此時此刻做的這個決定，還不至於太遲。

深夜時分，金莎一如往常在房間上網，在MSN裡與晚間加厚護墊談話，暗地裡卻把房門打開了一道小縫，靜靜傾聽著母親的動靜。

她聽到母親走出房間，然後廁所裡傳出花灑的水聲，她看看鐘，知道自己約有十五至二十分鐘的時間可以為所欲為，就不期然冷笑起來。

金莎靜靜地推開了母親的房門——她上一次這樣做，已經是十年前了。那天晚上，她做了一個極之恐怖的噩夢，夢見與母親離了婚的父親，拿著斧頭回到這個家，把母親的頭顱砍了下來，踢到金莎床底下。當時八歲的她嚇得哭醒了，害怕得推開了母親的房門，要求與她同睡，這也是兩母女最後一次的親暱。

金莎走進母親寬敞的房間內，坐到她辦公的大班椅上。

然後，她從睡袍口袋內取出一枝USB記憶體。

當她獲悉母親偷進她的電腦套取資料，她就決定進行報復計劃。她在Google的搜尋器鍵入「入侵電腦＋破壞＋病毒＋無法修復」等相關字眼，下載了一種可以迅速剷除電腦內的資料、癱瘓整部電腦的超級病毒，並且儲存進USB記憶體中，準備輸入母親放在桌上的工作用手提電腦，讓它從此作廢，她想母親也一定會嚇得瘋掉了吧！

當她把USB記憶體連接到電腦時，因一段時間無人使用而熒幕漆黑一片的電腦，重新明亮起來，跳出「執行程式？」的詢問。金莎正想把滑鼠拉去「是」，但卻留意到在熒幕的下方，有個縮小了的MSN對話框。

她禁不住好奇，用滑鼠按下了「否」，將MSN的對話框放大一看，對話的雙方是「金莎朱古力」和「晚間加厚護墊」。兩人最後幾句對話是：

金莎朱古力：我在做功課，你知道怎樣使用雙刪除線？

晚間加厚護墊：格式→字型→效果→雙刪除線

金莎朱古力：謝謝！你真厲害（*@▽@*）

晚間加厚護墊：對啊，我在看一個半小時的單元網劇，等一下再談？

金莎朱古力：好，等一下談

金莎的身體內，恍如經歷了一場核爆，她整個人癱瘓在大班椅上，幾乎無法想像的被傷害感覺，瞬即擴散全身。

在這一刻，她終於明白母親用甚麼方法入侵她的電腦了。她居然在網上扮演一個有未婚妻的男網友，在每個晚上，跟無眠的她光明正大地天南地北的亂扯！

只要回心一想，金莎就發現不少漏洞。譬如說：每次母親去了應酬，晚間加厚護墊也不會上線；每次母親去洗澡或在客廳看電視，晚間加厚護墊也會顯示「忙碌中」、「通話中」或「離開」的狀態……如今想來，只怪自己太傻太天真了。MSN突然冒出一個人，加上展示了一張可愛的狗照片，就讓她放下了所有的戒心，居然沒意識到事有蹺蹊。

金莎根本不知道自己愣了多久，就連母親推門進來也渾然不覺，直至聽到杯子碎裂的聲音，她才無力地抬起頭來，只見玻璃碎片散滿一地。站在門前的母親呆看著金莎，一手掩住了嘴巴，才不至於發出驚叫聲。

金莎用平靜得教自己也出奇的聲音說：「哈！我應該叫妳媽媽，抑或晚間加厚護墊？」

「囡囡——」

「妳猜妳要說甚麼話，才令我不那麼痛恨妳？」

「囡囡，我這樣做，只是為了——」

「又是那堆老生常談吧：只是為了了解妳的囡囡多一點？只是為了要懂得如何關心我？恭喜妳！妳做到了啊！妳現在不可能不了解我，也滿足了我的需要，關照到無懈可擊的地步了！」金莎忽然非常非常疲倦的說：「但妳知道這樣做，妳摧毀了甚麼？」

母親凝視著金莎，默言不語。

金莎一個字一個字的說：「妳把我對妳那僅餘的一丁點信任和尊敬也完全摧毀了！」

母親垂下雙眼，「對不起。」

「如果沒甚麼事，我要回房間了。」金莎要雙手用力撐著桌面，才能令兩腿發軟的自己站起來。她走過母親身邊的時候，母親想要觸摸她，她發狂大叫：「不要碰我！不准碰我！」母親嚇得馬上縮回手，用惶恐的眼神看著她。

金莎返回房間，鎖上了門，雖然她穿了厚而溫暖的睡袍，但感覺卻像一絲不掛，那種赤身露體的感覺，讓她既感被羞辱又無助地猛烈顫抖著。

床頭的手機石破天驚的響了起來，睡得呼嚕大作的陸本木，意識含糊地接聽了，聽金莎帶著哭音的聲線足足說了五分鐘，他整個人才完全清醒過來。亮起房間的燈看看，時間是凌晨一時半。

「妳真的決定要離家出走？」

「我是被她逼走的！」金莎大聲地、暴躁地喊道：「況且，我也逃到街上了！我走出了這個門口就不回去了！」

陸本木看看空置著的上層床，但他同時在想，該如何逃過在客廳睡的大姐的耳目呢？他的說話卻比思想快一步：「妳可以來我家暫住。」不管了，做了再算。

「我還沒決定好……」她的聲音又迷惘起來：「我甚麼也不想去想，只想去喝一杯酒。」

「我出來陪妳好不好？」

「你以為我打給你是為了甚麼？跟你講晚安？」

陸本木草草換過衣服，連奔帶跳的衝出家門。在升降機的玻璃鏡中，他發現自己把外套反過來穿了。廿分鐘後，他跳下計程車，在蘭桂坊那條斜路前，他看到金莎坐在一個半個人高的新秀麗旅行喼上，也不管路過的醉客的注視。她的眼神渙散，臉上豔光全失，手中握著一瓶嘉士伯，雙腳離地的盪來盪去。

「幹嗎這麼久才到？」

「我已經叫司機衝了四次紅燈，撞死幾個阿公阿婆和一條狗了，已經是最快的了！」

「哈！你說的笑話不好笑，你也心情不好嗎？」

陸本木伸手摸摸她的頭，替她把淩亂不堪的長髮撥好，「妳沒事吧？」

「我這年多以來，每晚也跟我母親玩MSN，我甚至愛上我母親，更對她表白心跡了——」金莎用既不像在哭也不像在笑，而是游走在兩者之間的一種神情說：「依你看來，我應該沒事嗎？」

陸本木聞言苦笑了一下，問：「我能為妳做甚麼？」

她想了一下，「替我殺了母親吧！」

「我要殺妳母親，還是殺我自己母親？」陸本木相當認真地問：「抑或，兩個都殺了？」

金莎笑起來了，笑得人仰馬翻，笑得眼淚也迸了出來，一失平衡就要從旅行嗆翻下來，陸本木連忙把她抱著，她握著的玻璃樽卻脱手了，骨碌骨碌的滾下斜路，在溝渠前止住，啤酒流瀉了一地。

「陪我坐一會吧。」金莎笑意未止，在他懷內虛弱地説：「只是坐一會。」

兩人找了一家較少外國人、沒那麼嘈吵的酒吧坐下來。金莎的精神也被折騰得夠了，她只是累極的喝著悶酒，陸本木陪她喝，卻喝得極少，非常的克制。

——她遭受到這種沉重的打擊，他陪在她身邊，當然要擔起保護她的重任。

當兩人面對面坐著的時候，有個染了一頭淺灰色短髮、打扮很趨時有型的少年走到兩人桌前，高大的他把天花板上吊燈的光線也遮蓋了，他望著金莎，驚喜地問：「Sasa？」

金莎抬頭凝視了灰髮少年好一會，惘然地說：「你是——」

「不認得我了嗎？小學五年級坐在妳後面，最愛扯妳馬尾的——」

金莎雙眼亮起來，「霍——品——超！」

「我多害怕自己認錯人了！」霍品超大力地拍著胸膛，他穿一件黑恤衫，衣鈕只扣到胸前，名副其實酥胸半露。陸本木在一旁看到他演舞台劇似的誇張神情與動作，對他半點好感也沒有。

「我已不叫Sasa了，還是叫回我金莎吧。」

「金莎，好多年沒見，妳近況好嗎？」

「我的近況嗎？」金莎自嘲地笑了，「很好，我剛離家出走了。」

霍品超瞄了瞄那個放置在座位後的新秀麗旅行喼一眼，他彷彿非常理解，用力點了一下頭，七情上面的說：「那很好，總要試試離家出走的，一生人總得試那麼一次！如果在必須一走了之的時候卻退縮回去，無處宣洩的憤怒將會改變形式，令人產生自我厭惡，最後，人會變成一條養在家中無眼耳鼻舌的蛆蟲。」

金莎無語地仰視著他，恍似在深思著他的話。

「好了，我有朋友在另一家店等我，先走一步啦。下次再見面時，一定要請妳和男友喝酒。」霍品超直至這時才瞄了陸本木一眼，迅即又把雙眼轉回金莎臉上，直視著她，語氣誠懇的說：「金莎，好好享受離家出走的日子，妳是在為未來製造不可多得的回憶啊！」

陸本木真想開口喝止霍品超，他在向她灌輸甚麼思想啊？陸本木真想直斥其非，但礙於他是金莎的舊同學，他不得不猶豫。幸好，霍品超說完這句話，向金莎道別過後就走了。

「這頭灰狼是妳的小學同學嗎？」

「是啊，他小時候很頑劣，但成績卻異常的好，每一年的全級第一，總是由他拿下，這教校方很頭痛。」金莎一邊回想，一邊笑了起來，「因為，他既曠課逃學，又常常觸犯校規，跟男生打架，不斷作弄老師和女生，這種被校方評為無可救藥的壞分子，卻得到了連高材生也羨慕不已的成績，令學校非常為難啊！」

「後來怎樣了？」

「後來，他做了更驚人的事，那時校長在禮堂台上向他頒發全級成績最優異的獎項，當校長準備與他握手時，他沒伸手出去，卻對他作了非常恭敬的三鞠躬，我們全校學生都差點笑死了。他領了那張獎狀後，隨手便摺成了紙飛機，從課室的窗口投了出去！」

陸本木大大地吞了一口口水，「……他真是一頭不受控的灰狼！」

「想不到的是，幾年後，我倆在這裡重遇了。」金莎搖搖頭笑，「他的樣子變了，但他散發出來的吸引力卻一點沒變！」

陸本木苦起臉，看到金莎似乎對那頭灰狼的行為十分受落，他變得不敢對他妄下評語。唯一值得慶幸的，也許是他沒有對金莎死纏爛打吧？

由於喝了不少酒，加上精神萎靡，金莎頭痛欲裂，她叫陸本木替她買必理痛。他馬上走到附近的便利店，透過便利店的玻璃，卻見霍品超在店內，正用力捉住一個美少女的手臂，不知在吵些甚麼，他狠狠一巴掌就摑過去，美少女用手掩著被摑的那邊臉，一副承受著屈辱的表情，霍品超卻沒放過她，又再摑她一記耳光。

陸本木看呆了，他平生最討厭欺負女人的男人，真想第一時間挺身而出，但他衝進店裡的腳步卻一下止住了，人慢慢向後退，最後選擇迅速地離開。他選擇撒手不管，只因這晚發生在金莎身上的事情已經夠多夠煩，不能夠再節外生枝了。

況且，這頭灰狼在公眾地方做出這種過分的事，就算自己不插手，一定也會有其他熱心人拔刀相助。

他去了另一家便利店買藥後，馬上折回去給金莎服食。他鐵證在握地說：「妳說那個霍品超很有吸引力？但他充滿暴力的一面，妳該沒看過吧？」他把剛才所見的一切，繪聲繪影地向她說了一遍。

金莎聽得直皺眉，半信半疑地說：「你確定見到的人是他？他的行為雖然很反叛頑劣，但他不像那種會打女人的壞男人。」

「殺人犯也看不出來啊！」

當金莎彷彿接受了事實之際，卻見霍品超剛好路過酒吧門口，她馬上揚聲叫他進來。陸本木當然也不怕當面對質，他倒希望能當面揭穿他的真面目。

他也不明白自己為何要這樣做，但如果真要說，也許，他坦白承認對這個人看不順眼就是。從第一眼見到他開始，陸本木就有種猶如動物可以預見危險的第六感。

霍品超看到金莎朝他猛招手，就向兩人走過來。她直截了當的問：「我朋友看到你打女人了！真的假的？」

霍品超神情一愣，把雙手插進緊身牛仔褲袋內，聳了聳肩不說話。

金莎再問一遍：「你說話啊？」

「我無話可說。」霍品超勉強笑了一下，對兩人牽了一下嘴角說：「如果沒甚麼事，我想離開了。如果我的行為令大家不舒服，我道歉——」

這個時候，一把女聲響起：「你們誤會他了——」

剛才在便利店被打的美少女，在霍品超身後出現了，這使陸本木大感意外。金莎看到少女又紅又腫的臉，她盯著霍品超問：「甚麼誤會？」

嚼著口香糖的美少女告訴金莎，剛才她和霍品超走進便利店購物，她因一時貪念而偷竊，卻被店員逮住了，眼看店員就要報警，霍品超為了幫她開脫，就用力掌摑她，又向店員賠不是，解釋她是因喝了太多酒失常性了。店員見到美少女被修理得那麼慘，就決定不追究，當場把她放走了。

金莎有點尷尬地問霍品超：「為何你不自辯？」

「我不習慣自辯。」

「都怪你不好！」金莎轉向陸本木，當著眾人說：「我一早說你對霍品超有偏見！快向他道歉！」

陸本木對金莎遷怒於他感到萬般無奈，但他明白她也要找下台階，只好勉強跟霍品超賠不是：「那麼，我真是誤會了你，對不起啦！」

「沒關係！我被許多人誤會過許多遍了。」霍品超臉上掀起一個從容的微笑，「在這些地方出現的人，誰沒有給誤會過是無藥可救的人！只能說誤解我們的人本身太幸福了，他們不會明白，如果家中有溫暖的被窩和疼愛自己的家人，我們又怎會在這裡流離失所！」

金莎聽了他的話，想到自己這一刻的景況，免不了一陣感慨，「嗯，你說得真好！」她衷心欣賞地點一下頭。

耳環由耳垂直釘至耳頂的美少女，這時候開口問：「霍品超，你朋友啊？」

霍品超這才替三人作介紹：「嗯，對，這是蔡淑真……這是我小學同學金莎，和她男友——」霍品超用眼神向金莎詢問。

「他是我朋友，陸本木。」

陸本木沒精打采的打了個招呼，為了金莎全盤否定他的「男友身分」而洩氣。

「我上次答應過，下次再見面時，一定要請你們喝酒。」霍品超露出那種教女人無從抗拒的壞男人笑容，「我們又見面了，賞面嗎？」

金莎高興地笑了，「哈！我原以為今晚會很難熬，現在卻有很多人陪我，真的不愁寂寞！實在太好了！」

突然之間，
我很害怕自己被遺忘了。
如果我被遺忘，
就找不到自己原來生存著的憑據吧？
所以啊，你可以一直記起我嗎？
我想用你來提醒我，
自己還不至於值得消失。

第九章　深山野狼篇 I

顯露出來的傷口，
永遠不算真正的痛

上課的時候，陸本木一直在打瞌睡，醒來的時候，已是小息時間，他發現自己的頭竟擱在身旁女生的肩膊上，嚇得馬上跳開幾呎遠。

「對不起！我不是故意的！」

「小陸啊，你真不懂奉承女生啊！」鄰座的火火倒是不拘小節，她嘻嘻地笑了，「你要討好女生，應該說自己是故意的啊！」

「嘩！火火姐，你名花有主了啊！我不怕走出學校給人伏擊嗎？」火火和A班的高材生謝禮謙、C班的O常常三人行，這是整個班級的學生也見到的事實，大家暗裡都在猜三人之間是否有淫亂的三P關係……所以，陸本木才不會想臨時加入啊！

火火遞給他兩顆口香糖，好讓他清醒一下。她搖頭嘆息的說：「你昨晚去哪裡啊？黑眼圈都跑出來了！」

陸本木邊嚼著糖，邊把下巴擱在桌上，對啊，他昨晚到哪裡去了？他累得幾乎沒氣力想起來。

昨晚，兩人跟霍品超和蔡淑真飲了一巡後，時間已是淩晨三時多，他覺得繼續下去也不是辦法，正想著要怎樣規勸金莎回家，跟她母親言和，談得興起的蔡淑真卻提議大家轉個場地去唱歌，金莎興奮地說好。霍品超帶他們去了中環一幢商廈高層內，一家非常隱蔽的私人會所。

每個侍應都與霍品超非常熟絡，領著四人走過煙霧瀰漫的公眾酒吧區，陸本木眼看幾枱人客醉得東歪西倒，男男女女也抱在一起，情況混亂得叫人瞪目，陸本木心裡暗自擔憂。

四人在一個私家K房落腳，金莎點播了一大堆快歌，蔡淑真學著歌星在MTV內的跳舞動作，整個人癲癲喪喪的，金莎也跟著做了，兩人玩得嘻嘻哈哈。陸本木和霍品超各坐一旁，他留意到霍品超的手機不斷地響，他每次都會走出房外接聽電話，感覺非常神秘。

一直玩到清晨，金莎彷彿把身體內的所有怒氣發洩盡了，整個人像散掉般，臉上的倦意表露無遺。陸本木走進廁所洗了把臉，讓自己清醒一點。當他折回去推開房門時，發現裡面的電視聲已被關掉，只有無聲的畫面和不斷閃過的字幕。

抱膝坐在大沙發上、用外套當成被子掩著身子的金莎，與霍品超在小聲地談話，而沙發的中央，正橫躺著呈S字形、睡得爛熟的蔡淑真。

陸本木剛好聽到金莎說話，便停下推門的動作，半掩著門偷聽他倆的對話。

「……我已經不可以回家了，因為……那是因為，我知道自己隨時隨地也可以回家去，今天可以、一星期後可以、一年後的今天也可以，大門不會換鎖，我的房間會保留原狀……我媽對我做出那樣的事，一定會因內疚而極度縱容我的……可是，正因為這樣，我才不可以回家去。」

霍品超的聲音響起：「一旦回家去，妳就會變成一個在媽媽口中世上最疼愛、但心裡嘲笑妳不中用的乖女兒了！」

「對啊。」

「在將來的日子裡，無論妳再出走幾多次，她也認定妳會帶著一副可憐相回家去。」霍品超說：「就像狼來了的故事，妳的離家出走變成編造出來的謊話，最後變得毫無價值，更成了妳母親和朋友之間的笑話，讓她炫耀自己把妳管教得像一具洋娃娃。」

「對啊！」金莎打從心底發出驚嘆，「你好像把我心裡的話全都說出來了！」

陸本木聽得凜然心驚，他運用了非常大的忍耐力，才能繼續細聽下去。

「我也經歷過妳的苦況，所以，我可以告訴妳：千萬不要同情自己，也千萬不要請求別人同情！因為，一旦認為自己很可憐，離家出走這件事就不再是一股動力，而是在自討苦吃了。」霍品超用平板的聲音說：「永遠記住自己出走的原因，就像馬匹被火紅的烙鐵烙印在身上般。不要忘記是誰把妳拖垮到這個地步，是誰令妳承受著這種痛苦！」

「是我媽。」

「我當年離家出走，就是因為有一個自以為是的父親。他要我事事以他做榜樣，終於我對他說：『我不要聽！就算學足了你，我也只不過成為你，但我根本看不起你！』然後我就走出來了，再也沒有回去過，我慶幸自己這樣做，否則，我一定做著一個令自己見到也生厭的人。」霍品超的語氣像催眠一樣，把她誘導至一條不能回頭的路。「所以，看到妳就像看到我自己。不用難過，遲早有一天，子女會跟父母決裂的。絕大部分人要等到雙親死掉以後，才能擺脫他們，真正掌握自己的生命。妳現在卻提早獲得自由了，不用再看到母親那張臉，不用再聽到她偽善的解釋，用一種所謂父母對子女的愛，自私地對妳的過去、現在和未來為所欲為。」

聽到這裡，陸本木實在忍無可忍了，霍品超何止像一頭灰狼，他簡直是附身在狼身上的惡魔！再反復聽下去，她注定要給他洗腦了！

他用力推門進去。「金莎，天亮了，我們該走了！」

金莎滿臉疲倦地問：「走去哪裡？」

「總會找到地方的。」他已迅速地替她拿起了旅行喼。

金莎用詢問的眼神看霍品超，他只是微笑著說：「妳朋友說得對，妳也該走了。」她惘然地點一下頭，逼不得已的站了起來。

霍品超走到陸本木面前，向他伸出了手，「小陸，很高興認識你。」

陸本木看看伸到自己跟前的手，抬起眼看他，非常敷衍的伸手一握，霍品超卻暗暗用力扣住他的手掌，對他說：「我們一定會再見的。」

「我看未必。」在陸本木想甩掉他的手之前，他輕輕放開了。

霍品超對金莎說：「很高興重遇妳。」

她不捨地凝視著他，最後向他說再見。

陸本木把旅行喼拋進計程車的車尾箱，向司機說了金莎家的地址。車子開行後，金莎在車廂內大發雷霆，質問他在幹甚麼。

「妳應該回家了。」

「我有說過要回家嗎？」她說：「我沒打算回去！」

「我知道妳還在生妳母親的氣，但妳真的不可以原諒她嗎？——我的意思不是要妳在這一刻馬上原諒她，而是指一個月後，甚至一年後——難道她永遠罪不可赦？」陸本木有點激動地說：「妳站在她的立場去想想，妳倆同處一屋，卻長期像陌路人般不相往來，但她轉換了另一種身分，卻可以與妳暢所欲言，她不是令妳很快樂，懷著輕鬆的心情入睡嗎？她每晚用了多少精神時間來陪伴失眠的妳？難道這還不足以將功補過？」

金莎把臉轉向車窗那邊，抿著嘴沒說話，整個人沉默下來。

陸本木斜看著她，她是在考慮他的話嗎？他但願她真會深思一下他的話。

尤其，當聽完了霍品超充滿煽動性的話，他真怕她會毫不遲疑地照著做。

當車子駛到金莎住所附近，她叫司機停車了。兩人下車後，她看看手錶，對陸本木說：「你快回家執拾一下吧，你還要準備上學。我自己會回家的了。」

「妳現在不回去？」

「我媽很快便出門，她要準時回電視台報導財經新聞。我回家時，可不願見到她在屋裡。」

陸本木重重地吁了口氣，但仍是不放心的說：「我今天不回校了，我陪妳。」

她臉色蒼白的笑了笑，「我回去就會倒頭大睡，你是不是跟我一起睡？」

陸本木不好意思起來，「那麼，我還是回校啦，順道去妳班替妳拿功課。」

「最好不要。你當作我生病好了。」

陸本木在金莎的催促下離開了，一夜沒睡的他，躺在書桌上的時間比聽書還多。當他嚼著火火給他的口香糖，人才清醒一點。

他的手機震動起來，來電顯示是金莎房間的電話，他滿以為金莎回家後睡不著，就趕緊接聽了。

「你是陸本木嗎？我是金莎的媽媽。」

「媽……」他第一句就說錯了話，雙頰頓時燙起來，幸好電話另一邊沒看見：「……伯母妳好！」

「我看到電話上的通話紀錄，看見和她通話次數最多的是你，所以才冒昧打來給你。」金莎媽媽說：「你是她最要好的朋友吧？」

「沒有比我更要好的了！」他興奮至得意忘形，自以為立了大功：「對了，金莎回家後，跟妳言和了嗎？」

「我沒有見過她。」她靜默了半晌，「我知道她曾回來過。她比昨晚拿走了更多東西，包括護照和銀行存摺，甚至連課本和校服也拿走了。」

陸本木當場愣在原地，久久無法言語。他忽然覺得自己真夠笨，真的相信金莎不跟他爭辯就回家了，原來她早就打算策劃另一次更周詳、更長久的離家出走。

「陸本木。」

「在。」

「我可以拜託你替我把金莎帶回家嗎？」這個在電視鏡頭前表現精明能幹的財經女主播，用非常軟弱無助的聲音說：「我有想過報警，但如果我這樣做，我女兒就永遠不會回來了！」

陸本木用堅定的聲音說：「我會把她帶回來的。」

陸本木做足了心理準備才致電給金莎，他滿以為要打一百次一千次才能接通，但出乎意料的是，她手機號碼只打一次就通了。可是，又一個意料之外，接聽的是霍品超。

「小陸嗎？早晨！」

他一聽到霍品超的聲音就火了，「金莎在哪裡？」

「她一夜沒睡好，你給她好好睡一下啊。」他的聲音洋洋得意：「她睡醒後，我會告訴她你曾經來電。」

「你馬上叫醒她來接電話！」陸本木一想到金莎在他附近熟睡著，整個人也在冒火。

「她太累了，我代她拒絕好了。男人不可對女人殘忍的啊！」

「我再問一次，金莎在哪裡？」

「她吩咐我不可以告訴你啊，好抱歉啦！」

陸本木逼不得已說了實話，把金莎的母親搬了出來：「金莎的媽媽託我帶她回家。金莎在哪裡？馬上給我地址！」

「真奇怪是不是？一個女人要找自己離家出走的女兒，不向警察求援，反而向女兒的朋友求助！」霍品超在電話那頭故作驚訝地笑了，「讓我猜一猜，她知道若自己走去報警，她女兒就永遠不回家了？又抑或，這個被喻為全港最漂亮的女主播，害怕自己在家中的醜行會打擊她如日方中的事業？」

陸本木被霍品超帶著繞圈子，生氣得幾乎想把手機摔個粉碎，但他知道自己一定得把情緒控制好，否則，尋找金莎的線索就會斷掉了。

「無論如何，我有話對金莎說。」陸本木堅持：「不用麻煩你傳達，我要跟她見面，現在！」

「一定得給她這麼大壓力嗎？你真的不能給她一點空間？」霍品超的聲音滿是嘆息，「看起來，你跟金莎的母親已站在同一陣線了！」

這個時候，金莎的聲音遠遠地響起：「讓我跟他談！」電話那頭傳來交接物件的聲音，她怒氣沖沖的說：「我就是金莎！陸本木！你有甚麼話急著要對我說？」

陸本木心下一沉，他傷感的問：「妳叫那灰狼替妳接聽電話，著他打發我嗎？」

金莎沉默了兩秒鐘，語氣複雜地說：「因為，你已決定站在我媽那邊了！」她頓了一下，用失望透頂的聲音說：「想不到你會出賣我！」

「沒有，我是站在妳這邊的！我不會出賣妳！」

「你答應幫助我媽！」

「我想幫助的是妳！」

金莎一下子無言以對。

陸本木把手機握得緊緊的，一字一字地說：「我一直也站在妳這邊！過去是，將來也是！我倆相識的時間也不短了，難道妳真的看不出來？」

金莎在電話那頭又一陣死寂，過了好一會，她恍如下定決心要毀滅一切似的說：「不用再打電話給我了。我知道你想說些甚麼，只是我真的沒法子做到，再見。」她沒有讓陸本木多說一句就把電話掛斷了。他再撥，她已關機，不能接通了。

連繫著二人的唯一的線，終於給她親手剪斷了。

放學的時候，陸本木滿懷心事的回到家。

大姐放下手頭上為公仔勾線的工作，心情恍似很輕鬆的說：「今天繼續上課啊，我去廚房準備，你快來。」

陸本木再給金莎撥了兩次電話，可是卻不能接通，他重重嘆口氣，就走進廚房了，大姐這天教他做蝦仁炒蛋，他一直心不在焉，在筆記簿上記下了連自己也看不明白的字。

後來，大姐示範了一遍，叫他照做，他一言不發的煮著，不知怎的蛋液老是黏鑊，滾油又在爐前四濺，他馬上熄了火，把焦了的炒蛋全倒進垃圾箱，既生氣又氣餒地說：「今日先不學這個啦，我要學另一個！」

大姐卻堅持：「不可以，我今天教你這一個，你就要認真地學！」

他已經夠頹喪了，借故大發雷霆：「有必要那麼斤斤計較嗎？」

「你還不明白為甚麼嗎？」大姐也火冒三丈，直斥其非：「我跟你斤斤計較，就是要讓你知道，一斤就是一斤，不能多也不能少。如果你不堅持，每遇到難以完成的事就縮回去，最後你一定無法完成！」

大姐又要開始向他曉以人生大義，他倒是不客氣的反駁說：「我又沒說不學，但學切茄子或切南瓜，學炒蛋或炒菜，只是次序問題，先學哪種也一樣啊！」

「這是秩序問題！」

「我倒看不出有甚麼問題！」

「問題就是：我不一定能夠每日照顧你！你要學懂照顧這個家！」大姐瞪視著他，「照顧一個家，需要秩序！」

「我為何要照顧這個家？」他真討厭大姐的無理取鬧，她把話題扯到哪裡去了。

「不為甚麼！因為你是家中唯一的男人！」

他真的聽不下去，把隔熱手套脫了下來，不快地說：「既然不能學別的，今天停課一天好了，我需要請一天假。」

大姐喝斥他：「陸本木！」

「沒法子，要有秩序啊！」他拋下了這句話，就走出了廚房，留下呆立著的大姐。

沒等到吃晚飯，陸本木就出門了，他根本不知道自己要去哪裡，只知道留在家裡感到很侷促而已。在這一刻，他忽然聯想到金莎的景況：她在家裡是不是也會喘不過氣來呢？由於導火線早就埋下了，金莎只是抓著千載難逢的機會逃出來嗎？

他的意識開始混亂，自己到底是不是犯下了致命的錯誤？

長久以來，他任何事也遷就金莎，甚麼也從她所願，但在最重要的關頭，他卻做了與她意願背道而馳的事。他不知道自己是否做錯了，令自己變了一個惹她討厭的人。

當他呆想著之際，他接到金莎房間的來電，他當然不以為金莎回家了。面對金莎母親的追問，他實在不懂得回應，他惘然的盯著手機，直至響聲自動停止。

當他實在感到餓壞了，才找了一家Pacific Coffee坐下，買了金莎最喜愛的大杯裝Strawberry Banana和藍莓芝士餅，他怔怔地吃著喝著，當他瞄到店員給他的賬單時，心裡忽然燃起了一絲希望。

昨晚去酒吧喝酒，霍品超替他付賬了。所以，唱K的錢，陸本木堅持由他來付。付錢的時候，侍應生也給了他賬單，他從銀包找出那張賬單，見到上面印著店子的電話，便立即致電過去，用非常隨意的語氣說：「霍品超來了沒有？叫他來聽電話，你告訴他，他的手機沒電了。」

「請等等。」

聽到職員走去通知霍品超接聽電話，陸本木知道自己真的走運，他立即掛線，把芝士餅一口吞掉，拿起膠杯就走。

二十分鐘後，他已衝到中環那幢商廈，在昨晚那家私人會所門前停下。它連招牌都沒有，在只有一個防盜眼的白色門前，他敲了敲門，向著安裝在門上的監視器從容地微笑。

一名身穿黑色西裝的經理打開了一道門縫，探頭出來，第一句話竟是詢問陸本木密碼，他當然說不出來，經理就把門關了。他再敲門，卻不獲回應。

他既焦急又光火，用他的New Balance 576型號球鞋大力踢門，踢得白門上佈滿鞋印，大門終於又打開了。

那名黑衣經理警告陸本木，他再吵下去就要報警了，陸本木索性豁出去，拿出手機就要撥999。就在這個時候，霍品超在經理身後出現了，他對經理說：「他是我朋友，為何不讓他進來？」

「但是……他說不出暗號。」

「我的朋友喜歡不請自來。」

經理只好向他賠不是。霍品超看看白門上的鞋印，「若要賠償——」

經理露出一副虛偽的笑臉，向陸本木欠身賠罪說：「不用不用，只是小誤會，請進。」

「小陸，快進來啊！」霍品超高興地向陸本木揚揚手，「金莎、蔡淑真和我正玩得興起，一起來玩！」

陸本木木無表情的跟隨在霍品超身後，他轉頭對他笑，「我等了你整個下午！」

「你等著我？」

「當然啦！」霍品超好像不明白他為何會這樣問，看看他說：「我知道你會找到這裡來啊！」

陸本木穩穩感到事有蹺蹊，但他已無法回頭了。

他被帶進一間以星雲做主題的K房，金莎正玩著房內附設的Wii，蔡淑真又是醉得東歪西倒的。金莎在沒心理準備下看到陸本木，即時沉下了臉，她沒有直接跟陸本木說話，轉而質問霍品超：「他為何會來？我不想見到他。」

「我們所有人也希望盡力幫助妳。」他說：「小陸也想幫妳，妳或許該與他談談。」

「我可沒甚麼需要他幫忙。」

「我知道小陸是妳多年的朋友，我真不想你倆從此變仇人。」霍品超語氣坦誠，又一臉為難地說：「尤其，如果是我令你倆鬧翻了，我實在難辭其咎。」

「與你無關，這是我和他之間的問題。」她還是沒看陸本木一眼，繼續對霍品超說：「如果我和他真的變仇人了，也只是我倆之間的恩怨。」

陸本木碰了一鼻子灰，但仍然按捺著，溫和地喊了她一聲：「金莎。」

Title: Shi da zui ai pai hang bang

Author(s): Liang Wangfeng

ISBN: 9789882160835

OCLC #:

Language: Chinese

Year: 2008

Subject: Fiction

No. of Pages: 411

Distributed by:

Multi-Cultural Books and Videos, Inc.

(800) 567-2220

金莎這才轉向陸本木，對他怒目而視：「你把我媽也帶來了嗎？她在哪裡？是不是躲在你身後？叫她出來見我啊！」她以挖苦的表情望著他身後。

陸本木捱著嘲諷說：「我沒有帶她來。」

「那麼，你是要帶我去見她嗎？她可真沒道歉的誠意啊！」她不客氣地笑，「又抑或……哈！其實她要求我向她道歉，才批准我回家？」

霍品超聽到這裡，打岔說：「金莎，妳出去一會可以嗎？我想跟小陸談一下。」

金莎猶豫了一刻，霍品超說：「只要三分鐘。」金莎這才點了點頭。

「蔡淑真，妳也出去。」

「不要吧！我走不動了！」攤坐在沙發一角的蔡淑真，瞇著雙眼，用倦怠的聲音說：「我才不管你們，你們最好也不要管我。」

金莎這時候站起來，揚揚手說：「我自己走出去就可以了，我只希望耳根清靜！」她狠狠地瞪陸本木一眼。

霍品超看到她走出了房間，就把房門關上。他坐在沙發上，雙手合十說：

「小陸，說真的，我很佩服你。你是個勇者，願意直視自己心底最深的恐懼。」

「我不明白你在說甚麼。」

「你覺得我很可怕吧？像一頭惡魔般可怕！」霍品超用乞憐的眼神看著陸本木，緩緩說道：「自從我出現了，你在金莎心目中的地位就迅速下降了，就像我們對某種新開賣的街頭小食的熱情一樣，一閃即逝，最後把它冷落在一角，讓它靜悄悄的捱到結業。」

陸本木覺得心頭一陣痛楚，他被刺中死穴了，大聲的說：「你到底想怎樣？」

「把金莎讓給我。」

「你說甚麼？」

「你聽到了，把她讓給我，我倆還有可能成為朋友。」

「如果我不願意呢？」

「小陸，你誤會了，我不是詢問你，我只是通知你。」

「那我也通知你，我拒絕。」

霍品超傷腦筋的搖搖頭，用握槍的手勢向他一指，對他單一下眼，「小陸，你違反校規了，要受罰了哦！」

陸本木聽得莫名其妙。

醉醺醺地躺在一旁的蔡淑真，這時候慵懶地伸了個懶腰，捽了捽頭，好讓自己清醒一點，然後站起身，慢慢走向霍品超，對他說：「討厭！我最討厭做這種暴力型的訓導主任！」

霍品超轉向蔡淑真，整個人挺胸坐直身子，好像準備著甚麼似的，苦著臉對她喝道：「喂！不要令我失血過多啊！」

陸本木完全不明白兩人在說甚麼，只懂呆呆的站著。

「我們血型相同，我捐血給你。」她話剛說完，隨手就拿起茶几上的一個玻璃酒瓶，向霍品超的額角猛力敲下去，酒瓶「砰」一聲爆裂，鮮血沿著他的面頰滑到下巴。

「好痛咧！小陸，你真是個狠心的男人啊！」霍品超用責怪的眼神看著陸本木。陸本木把整個情景看在眼裡，還是一點反應也沒有，只落得張口結舌。

血流披面的霍品超指一指自己的臉孔，像做問卷調查般詢問蔡淑真：「這段情節有震撼力嗎？會令觀眾驚呼狂叫嗎？」

她用一雙醉眼注視他，「不過不失啦。」

「那就去盡一點囉！」他側過身，拍拍自己右背，「沒法子啊，我是完美主義者啊！」

蔡淑真嘆口氣，「你真要為金莎這樣做？」

「她值得的。」霍品超莞爾一笑，「耶穌為了救贖世人而流乾了身上的血，這才是真正的偉大！我為了令一個女人得到救贖，流點血又算得了甚麼？」

蔡淑搖著頭笑，「你瘋了！你為這個女人完全瘋了！」同一時間，她把剩下的半個破玻璃酒瓶插進霍品超的右背，再拔出來，隨手把瓶子拋到地上。

然後，蔡淑真清了一下喉嚨，發出一下動地驚天的尖叫，用醉步踉蹌地開門衝了出去。

到了這時候，腦袋本來空白一片的陸本木，終於明白發生了何事。

他終於知道，霍品超何以會給他輕易地找到，這根本是個一早設好的陷阱，霍品超是用了他自己做餌。

陸本木咬著牙說：「你真是一頭狼！」

「沒錯，我是一頭狼，但陸本木，你也是啊！」霍品超用手抹抹臉龐，整個掌心都是鮮血，他不由得皺著眉說：「狼群爭奪獵物時，絕對不會相互殘殺的。你知道為甚麼嗎？因為牠們願意共享獵物啊！我是一頭愛好和平的狼，而你卻是狼的壞分子。我提議將獵物平分，但你拒絕了！」

「金莎是你的獵物嗎？」陸本木狠狠地瞪著他：「你到底有甚麼目的？」

「我說過了，我要救贖她！」

「瘋子！」

這時候，蔡淑真聯同金莎及一身黑衣的經理衝進房間內，在深藍調的房間裡，鮮紅色的血分外怵目驚心。經理乍見滿地鮮血，馬上便說：「我去報警。」

「不用！」霍品超大聲喝止經理，「我馬上就會趕去醫院求醫！」他取過茶几上的濕毛巾，用力按著額角，站起來以認真的語氣對蔡淑真說：「對不起，我剛才說了侮辱妳的話，我該受這種懲罰的。妳願意接受我的道歉嗎？」

蔡淑真瞪著他，呆怔了一下，然後紅著眼說：「既然你已道歉，我原諒你就好。」她一臉忿忿不平。

金莎湊前看著血染了一臉的霍品超，感到心驚膽戰，她緊張地問：「你沒事吧？」霍品超卻避開了她的注視，垂下眼對她小聲地說：「妳跟小陸離開吧！」

「是陸本木做的吧？」她拉著他的手臂問：「你為何要維護他？」

蔡淑真此時拉開了她，表情顯得很為難的說：「金莎，是我被霍品超惹怒了，我醉了，失常性了，一切都是我做的。」

「荒謬！」金莎氣得滿臉通紅。

「金莎，聽我說，盡快回家去！」霍品超仍是沒有正眼看她一眼，無力地留下了這句話，就在蔡淑真的攙扶下，腳步蹣跚地離開了。

金莎看著陸本木，她的表情好像想痛罵他，好像想揍他，但她卻甚麼也沒做，最後露出一個好像要從此放棄他的表情後，就衝出了房間。

陸本木呆在原地，他知道自己這次是徹頭徹尾的敗北。他真有五秒鐘想過自我放棄，但他深深吸了口氣，也跟著金莎走了出去。

他在中環大街的H&M服裝店前，截停了步伐趕急的金莎，金莎一手推開他，他不罷休的跑到她前面，張開兩臂攔著她。

她跺了一下腳，直視著他說：「陸本木，你有甚麼仍敢對我說的？」

「我可以發誓，我真的沒做過。」

「我一早告訴過你了，我不相信男人的誓言。」

「我是用我家人的名譽起誓！」陸本木一臉認真，舉起了三隻手指。

金莎用滿佈紅絲的眼睛看他，「你家人？你家人有甚麼名譽？」

陸本木聽到這句話，恍如被重重轟了一拳，他覺得有一部分的自己裂開剝落了。因為金莎這句話，讓他覺得自己和整個陸家的人也給她置諸死地。

他還想開口說些甚麼，但喉嚨好像給割斷了一樣，半句話也吐不出來，他放下手，情不自禁地搖頭失笑一下，就轉身走了。

金莎呆在原地，看著陸本木離去的背影，慢慢感到四周愈來愈冰冷。

深夜時分，陸本木在家上網瀏覽每日必看的幾個網頁：蘋果報紙網、介紹電玩攻略網、下載MP3網、學校八卦新聞網。然後，他也如常地去了金莎的個人網誌，看到更新了的「10大最愛排行榜」。

第7位的「晚間加厚護墊」給刪除了，原來的位置被一個代號「深山野狼」的人所取代。

深山野狼

他活像一頭灰狼，從外貌上看來有點狡黠可怕。然而，他就像我看過的那本名著《米莎：大屠殺時代的回憶》內，那群在樹林裡養大一個女孩的狼一樣，也是懂得保護我，而我又可信賴的狼。只要相處得久了，我發現他擁有的，其實是野狼智慧、頑強及可愛的一面。

同時，他發現第8位的「給我掛賬的人」也給金莎擯出排行榜外！由新人「我的中藥」補上，而「尋找初戀」和「雷霆傘兵」的位置不變，仍留守在第9位和第10位。

他好像事不關己的湊熱鬧的觀眾一樣，只看了一會兒就把電腦關上了。十分奇怪，他心裡沒有太大的失望。他理解到自己遇上一個真正的情敵了，但對方實在太強了，不費吹灰之力就把他徹底擊敗。

最可笑的，是他竟能消化自己已經落榜這個壞消息。

翌日早上，陸本木強撐起精神上學，他在課室那層走廊走著，偶然抬起眼時，竟看到穿著整齊校服的金莎，從她C班的課室裡走出來。

就在這時，金莎也剛好抬頭，彼此目光在相隔了廿呎的距離接上了。

兩人向對方迎面走過去，在即將擦肩而過的一刻，陸本木默默地看著自己的鞋頭，金莎則把視線轉向欄杆下面的操場，直至走過了對方。

給我掛賬的人

我和他之間有一筆爛賬，在核賬以後，發現他還是欠我的，所以我毫不客氣地使用他，無論是雞毛蒜皮或要生要死的事都找他，偶然我還可以抓住他，借題發揮地痛罵他一頓。最難得的是，他居然又會照單全收，沒有對我賴賬。

給我掛賬的人．殘念！

陸本木甚少走上學校的天台，那裡長期被喜愛抽煙的學生霸佔，但他這天實在悶透了，就問同學借了香煙和打火機，上天台抽一根。

當他蹲在天台一個隱蔽的角落抽煙時，他的手機震動起來，他一看來電顯示就接聽了，他對金莎的媽媽說：「對不起，我已經盡了力……我幫不了妳，我也幫不了她了，我和她已不是朋友了……對不起。」

他掛線後又點起另一根煙，這個地球已經沒有不懂抽煙的人，他只是不愛抽煙而已，煙味弄得他的喉嚨很乾涸很不舒服，但他卻因此抽得更狠了。

就在這時候，A班的美女校花藍閱山也上天台來了，她逕自走到天台的欄杆前，並沒有發現躲在一角的他。

陸本木不動聲息的抽著煙，遠遠看著藍閱山，她把身子盡量貼近高度及腰的欄杆，仰起臉閉上雙眼彷彿在吸收著燦爛的陽光一樣，本來已有四十吋長腿的她再踮起腳尖，上半身就這樣伸出半空。

從陸本木的角度看過去，她活像一頭形態優美的飛鳥，唯一不同的只是缺了一對展開的翅膀。

他害怕她會失平衡掉下去，但他更不願放棄手上燃著的半根煙，只好使勁再抽了幾口，把煙蒂隨手按在牆壁上擠熄，噴了長長一口煙霧後，眼見她依然健在，才往她的方向慢慢走過去，在距離她兩個人身位的地方挨著欄杆。

「喂，妳幹甚麼？跳樓？」

藍閱山聽到聲音，慢慢張開雙眼，轉過頭去看看來者何人。她見到是B班的陸本木，便向他輕輕點一下頭，「嗯，在準備。」

「雖然我們這間是band 1學校，卻從來沒出過十優生或電影明星，但A班校花跳樓頭爆肢斷總可博得一日的頭條吧？」陸本木突然覺得這件事很有趣，他想了想問：「妳跳樓的時候，可以讓我拍一段手機的獨家短片嗎？應該可用很高的價錢賣給電視台啊！」

藍閱山瞇起雙眼，把目光往下望，並沒有回答他，她恍如詢問他又像自問的說：「如果腳先著地，會不會死不了，只斷腿？」

陸本木也瞄了瞄六層樓以下的地面，「也有這個可能。」

「有辦法保證頭部先著地嗎？」

「難度很高吧！又不是高台跳水！」

「太可惜了！」

「喂，妳不是真的準備跳樓吧？」陸本木有一陣很不祥的預感，彷彿這是一場事先張揚的自殺事件，他瞪了她一眼。

藍閱山冷冷地瞄了他一眼，「關你甚麼事？」

陸本木怪叫了一句，「咦！妳怎知道我不想跳？」他語氣認真的說。

藍閱山刻意注視著他整整兩秒鐘，才說：「我才不會跟一個為女孩子鴨仔跳的男生一同跳樓，被人誤會我倆殉情就太慘了！」

「說得也是。」陸本木自知藍閔山看不起他，從她雙眼就能看出來了，但難得的是他也不喜歡她，他覺得她是個虛有其表的女子。他咭咭的笑了，「最恐怖的是，我們家人或許會好心地把殉情的我倆的靈位設在一起，我相信我真會含笑而逝，妳卻保證死不瞑目吧？」

藍閔山沒好氣，對他說：「白癡，走開！」

「OK。」陸本木轉過身準備走開，對啊，人家要不要自殺又與他何干？但他記得約三個月前，透過班級之間的流言，他知道藍閔山不知為何給剃刀割傷了臉，傷得不算輕。於是，他還是回頭了，而且看到她左頰上仍留著一道淡淡的疤痕。

陸本木：「喂。」

「又怎樣了？」

「說真的，妳臉上的傷已好了七八成，疤痕已不太明顯啦！如果妳是為了這個自殺，妳還是少擔心吧！在可見的將來，就算妳不幸地毀了容、破了相，全身上下只露出一根尾指，就憑妳那根尾指的美貌，也足夠在這學校內橫行無忌了……除了C班的金莎尚可匹敵，一眾醜女生也望塵莫及的了，妳放心啦！」

藍閱山忽然用左眼瞄瞄右邊胸口以下，「在這裡。」

「甚麼？」

「那道傷疤。」她用怪異的眼神直勾勾地看著他，「你這種人是不會明白的。」

「可以給我看看嗎？」陸本木看看她堅挺的胸部，大有可能有33.5吋C cup或以上吧？他舔了舔下唇，舉起三隻手指，故意要惹她更討厭的說：「我發誓，眼看手勿動的啦！」

「白癡，滾開啦！」藍閱山不慍不火地冷笑了。

陸本木笑嘻嘻地離開了，他的心情彷彿好了一點，又好像變得更壞了。

輕摸著胸口之下的心房，
忽然覺得很痛很痛。
是的，
是種類似我小小的一顆心臟，
被扭毛巾似的方式對待的侮辱感。

第十章　深山野狼篇 II

違背自然的蛻變，
只會惹來不聽使喚的迷失

自從陸本木大發脾氣，在廚房一走了之以後，大姐就不理睬他了。

他當然知道是自己不對，所以，一放學就趕回家，換過一身便服，笑著對坐在客廳工作的大姐說：「大姐，我今天復課啦！」

大姐背對著他，完全沒看他一眼，「我很忙，要趕稿件，不教了。」

「我上次是在發自己脾氣啦！妳教得那麼好，我卻好像怎學也學不好，我會頹喪的啊！」陸本木看到桌上只有畫紙和筆，他從廚房倒了杯水，走到大姐面前向她賠罪。他放下杯子時瞄了大姐一眼，卻見她整張臉白得沒一點血色，連嘴唇也呈灰色。

「大姐，妳不舒服嗎？」他嚇了一跳。

「沒事！」大姐的聲音仍是粗魯得像個男人：「你大驚小怪幹甚麼？」

陸本木拉過一張椅子，坐到她旁邊去，滿臉憂慮地說：「不是啦，妳真的病了，我現在陪妳去看醫生！」

大姐一聽到他這話，反應異常的大，她大力拍了一下桌面，弄得桌上的物件都彈了起來，「我說不用！你聽到沒有！」

陸本木給她激動的表現嚇倒了，大姐好像察覺自己失態，她囁嚅地說：「我們女人的病，你知道些甚麼！」

陸本木這才恍然大悟，他也有點尷尬的說：「那麼啊……要不要給妳一顆止痛藥？」

「你不要吵我，我就會舒服到死了！」

他舉起手投降，跑回房間做功課。半小時後，大姐推門進來告訴他：「我去漫畫社交稿和開會，你今晚和母親她們出外吃飯吧！」他看到她臉色回復正常，就比了個**OK**的手勢。

大姐走出家門後，陸本木在Google搜尋器鍵入「經痛＋失血過多＋補血＋湯水」，然後抄下了材料。趁著母親和三姐還沒下班回家，他想試煲這個湯給大姐喝，就當是給她的賠罪禮物，相信她一定會被這個鬼主意感動到淚流滿臉了吧？

他拿著寫有一列藥材名稱的紙，到廚房尋找適合的材料，打算缺料就上街去買。他找到當歸片、白芍、川芎等，尚欠紅棗一樣，最後他從櫥櫃深處找到一個玻璃瓶，瓶上的招紙寫著「紅棗」，於是就拿了出來，但又害怕它放了太久已壞掉，於是扭開瓶蓋嗅一嗅，卻奇怪地發現，在那些紅棗之中，暗藏著四個裝有藥丸的小塑料袋。

他拿出來一看，那四個藥包內有十幾種大大小小的藥丸，藥包上病人一欄寫著大姐的名字，他第一時間上網搜尋那些不認識的英文藥名，每查到一隻藥，他的腦袋也會一陣發麻——全部藥丸都是抗癌藥物。

金莎離家出走以後，一直住在蔡淑真的家。

小蔡住在油麻地區的唐樓，唐樓面積約八百呎，業主把單位分間出四個百五呎的房間，廁所和廚房則由四伙人共用。除了獨居的小蔡，其餘三伙分別是一對新移民夫婦、一名總是精神奕奕、相當有禮貌的中年男人，和一個滿身酒氣的女酒鬼。

當小蔡主動提出收留金莎，無依無靠的金莎馬上就感動了，但小蔡老實告訴她：「我住的地方，跟妳媽媽的家相比，肯定是一邊地獄一邊天堂，妳真不要先去看看？」

「相信我，我已脫離真正的地獄了。」

小蔡還是提議先帶她去看一下，說看了再決定不遲。這是金莎首次踏足沒有升降機的樓宇，踏上三層散發著異味、堆著垃圾的樓梯後，小蔡帶她到房間巡視一圈，問她：「這不像是人住的地方，對不對？」

「不對。」金莎只覺得一切都充滿新鮮感，「住這裡沒問題。」

小蔡指指那張普通呎碼的床，「一起睡也沒問題？」

房間內放了床和一個衣櫃，再塞了個小小的電視機後，幾乎沒有轉身的空間，也難以再多放一張床褥了。

「有問題。」金莎這時卻說：「我睡半張床，便應該負擔一半租金。」

小蔡搖搖頭，「霍品超拜託我好好安頓妳，所以，錢的問題就別提啦。」

金莎也搖頭，「算不得！如果我住得不安心，又怎算得上好好安置了我？」

「我一直以為妳自覺有幾分姿色，就會像那些大小姐般恃寵生驕。真想不到啊，原來妳也不難服侍！」小蔡嘻嘻地笑了一下，「那好吧，我也不客氣了，租金一人一半好了！」

金莎看看這個百五呎不到的小地方，有種人生另一頁快將開始的亢奮感。

首晚與另一個女子同睡一張床，金莎顯得很不習慣，在轉身也有難度的床上，她一直看著天花板睡不著。她發現舊唐樓有個好處，原來樓底真的高得很，新建成的大廈因要向上發展，樓底不可能做得高，她在家裡失眠時，每次看到天花板也覺得伸手可及。

「睡不著嗎？」在身邊的小蔡問。

「我吵醒了妳嗎？」

「我也睡不著啊！」小蔡說：「這是我第一次跟女孩子同床。」

金莎噗嗤一笑，「原來妳也一樣啊！」

兩人側過身，把頭枕在各自的睡枕上，在黑暗的房間裡對視著，看到的就只有對方黑白分明的眼珠。

「妳不知道，霍品超待妳是特別的好。」小蔡說：「他從沒試過這樣義不容辭地去幫助一個人。」

金莎滿心奇怪，「我還以為，只要朋友有困難，他也會幫忙。」

「才怪！」小蔡說：「他有很多朋友，但他卻不是那種喜歡接濟朋友的人，他只會幫助特定的人選。」

「特定人選？」

「他認為值得救贖的人。」

「救贖？救贖甚麼？」

「妳親自去問他啊，我的意思是，如果妳受得了他的高談闊論的話。」

金莎想起霍品超每次談話時那種總像在傳道般的認真神情，不禁笑了起來。

「唯一可以肯定的是，他對妳特別的好，簡直待妳如公主一樣。」

「妳會不會不高興？」金莎坦白地問。

「當然不會，就算妳真是公主，我在他心目中，是皇后。」

「嗯？」

「我和他之間有太多經歷了。」

「我明白了。」小蔡的話，令金莎莫名其妙的想起了陸本木，她摔了一下頭，就把他從思想中摔走了。

後來，小蔡告訴她，住在一板之隔的那名精神奕奕、相當有禮貌的中年男人，是個在這一區逐家逐戶上門兜售豆漿機的推銷員，原因是他兩年前被人騙了，用全副身家買了五百部豆漿機，所以，他只得用盡辦法散貨，希望以貨換錢，但一日賣不到一部，教他感到很頹喪。就算他在人前表現得樂觀積極、彬彬有禮，但小蔡在每晚半夜，總會聽到他房間傳出嗚咽的聲音。

說著說著，金莎告訴小蔡，她父親是個不折不扣的渾蛋。雖然他是上市公司的主席，年薪以八位數字計算，但他卻用盡法律漏洞，逃避支付金莎兩母女的贍養費。就算她也挺討厭自己的母親，但相對父親，她簡直可以用憎恨去形容。

兩人就這樣徹夜談心，金莎很喜歡這樣子。一直以來，男孩子總愛繞著她轉，令她應接不暇，但同性的情誼，在她的生活裡卻十分缺乏。這一刻，她和另一個同齡的女孩，靠近得嗅到了對方的牙膏味道，而對方也一定嗅到她的，這種不曾有過的經歷，讓她感到親密又安心。

每天清早，金莎也會如常上學，看到小蔡快樂地睡到日上三竿，她羨慕死了，開始考慮自己是否要退學。霍品超問她何以這樣想，她說：「我不是讀書的材料啊！我在學校裡，讀的也是最差勁的C班。」

「無論妳是否那種材料，妳一定要讀下去。」

金莎問他原因，他告訴她，「因為，從妳踏出學校第一日起，妳就會開始變質了。」

「變質？怎樣變質？」

「恍如醜小鴨蛻變成天鵝似的變質。」

「哈！那不是很好的改變嗎？」

「那種王子與公主從此幸福快樂地生活下去的童話故事，只告訴了妳故事的前半部分。」他搖了搖頭說：「後半部分，即醜小鴨變成天鵝後的事呢？我告訴你，因為醜小鴨被欺凌得太久，變成天鵝後一定會變得驕傲自大，最後必然遭受更嚴重的集體杯葛。如此一來，天鵝就會覺得變漂亮了的自己毫無價值，也再無發奮圖強的理由，最後會孤獨得活不下去。」

金莎沉思著他的話，問：「你覺得我應該上學？那麼，小蔡呢？為何她不讀書？」

「是我叫她退學的，事實卻證明我做錯了，是非常嚴重的錯誤。」他遺憾地說：「所以，如果妳問我意見，我不想妳重蹈覆轍。」

金莎信任地點頭，「好吧，我會繼續上學。」她頓了一下說：「但我最怕母親會找到學校來。」

「她不會。」霍品超用肯定的語氣說：「一個剛打劫了銀行的劫匪，絕不敢用顧客的身分光顧那家銀行。」

事實證明，霍品超又一次說對。母親並沒有騷擾如常上學的她，連陸本木也沒有騷擾她，兩人幾次在學校碰面也像陌生人般擦身而過，這讓她覺得自己被孤立了，恍如一頭未變身的醜小鴨。

一到了晚上，小蔡總會打扮得花枝招展。只要化一個濃妝、穿一身性感衣服，她便會顯得特別明豔照人。她有時會自己出去玩，直到深宵時分，帶著一身酒氣回來。有時候她會約金莎去酒吧或的士高，但去到夜店，她總會以大姊姊的身分挺身保護金莎，但凡有男人走過來勾搭，她會以嘲笑的語氣打發他們，然後，兩個女孩會因男人的狼狽相而發出會心微笑。

兩星期後的一天，金莎放學回到那個小房間，看見小蔡正拿著一塊小鏡子在畫眉，她知道她又要去玩了，明天是周末，金莎也想出去瘋一下。

當她要求同行時，小蔡卻笑著搖頭，「我今晚約了朋友。」

金莎有點失望，她鍥而不捨地追問：「妳大可介紹妳朋友給我認識啊！」

「我也希望如此。」小蔡婉言拒絕，「但是，霍品超一早叮囑過我不可以這樣做。」

金莎深覺莫名其妙，她嘀咕著說：「為甚麼？我交朋友也要得到他允許嗎？」

小蔡看了看手錶，「我趕時間，回來再談啦！」說完就有點匆忙的出去了，金莎發覺她這一晚的裝束有點不同，相比起平日的隨心，她今晚的配搭減了點潮流味道，卻加添了幾分高貴。

金莎納悶地看著那個小小的電視，不知不覺累極而睡。睡醒的時候，餓壞了的她走到廚房煮麵，卻見鄰房那個中年男人也在煮麵，他看到金莎手中拿著一包出前一丁，笑容可掬地說：「小妹妹，我順道替妳煮好嗎？」她忽然聯想到他在長夜裡飲泣的臉，便馬上返回房間，小心地關好了門。

她忍受著肚餓，卻不願走出這個房間，也不敢獨自落街。一到了夜晚，唐樓那三層樓梯就很陰冷可怖，由於樓下連一道像樣的鐵閘都沒有，任何人也可潛進來，樓梯每個轉彎的角落也可能碰上危險，她真的只有跟小蔡在一起才敢上落。

深夜時分，窗外傳來一群男女的叫囂聲和雜亂的腳步聲，然後是幾陣玻璃碎裂的聲音，有把女聲用撕心裂肺的聲音喊著救命，幾分鐘後，女子的聲音轉至微弱。金莎用手臂抱著雙膝瑟縮在床上，甚麼也不能做，只覺得打從心底裡覺得驚怕。

當救護車的響號聲也遠去後，她看看鐘，時間已是凌晨兩時多，她撥了小蔡的手機號碼，想詢問她何時回來，也想請她順道給她外賣一點食物，但她的手機卻一直不能接通。

她擔憂起來，甚至懷疑剛才的哀嚎是否由小蔡發出。無計可施之下，她致電給霍品超，告訴他她無法找到小蔡。

他用鎮定的聲音安慰她：「她的手機可能沒電，不用擔心。」

「你知道她在哪裡嗎？」金莎仍是很不安地說：「你可以聯絡到她，確定她安全嗎？」

「她轉到另一個場地，跟另一班朋友見面。」他用強調的聲音說：「我剛才見過她了，我確定她是安全的。」

金莎沉默了一會，小蔡說跟金莎不認識的朋友見面，霍品超卻說自己剛見過小蔡，她給兩人弄糊塗了。這時候，一陣歌聲從他手機內傳出，她聯想到他是在卡拉OK的走廊講電話，可能剛剛有人打開房門透出聲音。她聽出那把正在高歌的女聲，很明顯屬於小蔡。

金莎用懷疑的語氣說：「小蔡在哪個場地？我大可去找她，我也想認識她的朋友啊！我現在睡不著。」

「我也想告訴妳。」霍品超在小蔡的歌聲襯托底下，溫和地說：「但是，小蔡一早叮囑過我不可以這樣做。」他婉拒她的語氣，竟跟小蔡一模一樣。

「那麼……我無謂強人所難，算了吧！」金莎真的生氣了，但她沉著氣問：「那麼，她何時回來？」

「妳不用等她，她今晚不會回來了，妳記得把房門鎖好。」他用不可置疑的語氣說：「總之，你放心好了，她會安全回來。」

金莎知道問下去也是白問，她很快便掛了線，跟著用力的把手機拋到床上，手機反彈掉到地板上，她也不管。

一陣被遺棄的痛楚，像被人扎了一針似的，頃刻傳遍全身。

發現大姐的藥的翌日，陸本木到了開出藥物的診所查問，醫生親自接見了他，「我是陸凱兒的弟弟，我發現了她那些抗癌藥。」

「病人有私隱權，她有權選擇是否告訴家人。」醫生托了托眼鏡框，「但你發現了她的病，專程來問我，我相信病人有私隱權，但家人也有知情權，你想知道甚麼？」

「我想知道——」他樂觀地問：「她吃完了藥，就會好起來嗎？」

「她患的是大腸癌，發現時已太遲了。是第四期——末期。」

陸本木有幾秒鐘完全發不出聲音來，終於，他聽到自己問：「她還有多少時間？」

「三個月，最多。」

「那麼，她好應該放棄治療了啊！」陸本木忍著痛楚問：「她還要吃那麼多藥，是為了——」

「她告訴我，她希望多賺一個月、一星期、甚至一天。」

陸本木愣住了好一會，然後才點點頭，「我明白了。完全明白。謝謝你。醫生。」他說：「請不要告訴她我來過。」

他在街上漫無目的地逛了一會，回去的時候，大姐不在家。他沒有走回自己的房間，反而走到客廳，呆坐到餐桌前。每天吃晚飯以前，餐桌都給大姐作繪畫之用。他看見桌面放滿參考資料和畫具，就隨便拿起來看看。

陸本木總是覺得，由性格粗魯的大姐畫少女漫畫，本身就是個大笑話。一向不愛看漫畫和小說的他，對大姐的作品也毫不注意。如今，他拿起她畫的草圖認真細看，更加覺得可笑，她畫的盡是眼睛大得不成比例的男女主角，萬一把漫畫人物放到現實世界，保證像羅茲威爾發現的外星人一樣，要馬上拿去解剖。

他隨手翻揭著，發現在一大堆資料底下，壓著一個密封的牛皮文件夾，馬上引起了他的注意，他確定自己可以神不知鬼不覺地放回原位後，才把它拉出來。文件夾重甸甸的，以繩圈束口。他拆開繩圈，抽出裡面厚厚的一疊畫稿，那都是上了色的完成稿。

他乍看首頁就呆住了，上面寫著的書名是：

10大最愛排行榜

陸本木平躺到沙發上，把畫稿放在胸膛前，先深深地吸一口氣，才讓自己開始翻看。

他一頁一頁的看下去，那是一個男生追求一位漂亮女孩的愛情故事，男生平凡得有點可笑，但他卻用他對女孩的關懷和耐心，擊敗了一個又一個強勁的對手，渡過了一個又一個的難關，慢慢地獲得了女孩多一點點、又再多一點點的歡心。

他躺在沙發上，一邊看一邊想到每晚也躺在這裡呻吟捱痛的大姐，就感到恐怖。

大姐獨自默默承受著一切，不肯告訴家人。她時常教訓他，要他做這做那，也要他開始學廚，他記起她說過的話：「我不一定能夠每日照顧你！你要學懂照顧這個家！為甚麼？不為甚麼！因為你是家裡唯一的男人！」如今想來，這些竟都是她在臨死前對他的叮囑。

他看至畫稿的最後一頁，男主角已爬升到女主角10個最愛男人排行榜的第6位，男主角剛擊退了一個野人似的電影明星，又要面對另一個天才型的音樂家。五音不全的男主角為了增強戰鬥值，報讀了樂器興趣班，跟一大群兒童一同學習，還要給他們取笑是個音樂鈍胎……故事畫到這裡就停了下來。

陸本木把整疊稿紙按在胸前，眼淚不知不覺已流了一臉，因為他既快樂又悲傷。

他忽然明白大姐是怎樣的一個姐姐了。她一邊向弟弟露出滿不在乎的、甚至叫他快滾開的眼神，一邊卻暗地裡關注著他，甚至比陸本木自己更在乎。

他突然覺得，自己也必須承擔一些重要的使命。

以往他拼命想要逃避這些使命，而在這一刻，他覺得自己需要停止了，他必須轉過頭去，以一夫當關的氣慨承受一切。

他對著尚有大姐氣息的空氣，微笑著說：「我知道妳希望多賺一個月、一星期、甚至一天的原因。所以，妳做妳認為該做的事，我也會做妳認為我該做的事。」

幾天後，當金莎留意到小蔡又以一身高貴的裝扮離家，她便扮作與她輕鬆道別，當她出門後，金莎趕忙披了件外套，就跟在她身後。

不出所料，小蔡到了尖東一間咖啡室跟霍品超會合，金莎小心翼翼不讓兩人發現。兩人談了一會，就轉到一家以價錢高昂聞名、普通人難以負擔的卡拉OK內。金莎在吊著水晶燈的華麗大堂扮作等候著朋友，等到兩個女侍應忙著應付客人的時候，就溜了進去。

這家卡拉OK的房間，標榜有總統級的奢華和超強的影音設備，因此在兩層共幾十間的房間裡，她輕易就找到了兩人，她不顧一切的推門便進。

那是最大的派對K房，可容納三四十人，現在裡面卻只坐了十多人。金莎放眼一看，房內除了霍品超、小蔡和幾個臉孔好像在時裝雜誌見過的少女外，還有幾個穿西裝的男人，也有個最近好像因打架事件惹得一身麻煩的富豪第三代。

所有人也把目光投往門前，金莎從容地微笑著，「好抱歉，我來遲了咧！大家好！」她慢慢走到霍品超和小蔡身邊坐下。

霍品超只呆了兩秒鐘，盯了小蔡一眼，就向大伙兒簡單地介紹金莎：「這位是Sara，我小學時代就認識她了，有一段時間大家失去了聯絡，最近才重遇。說起來我真是交了好運，這樣的美女啊，冒險走過去攀談肯定會遭白眼的，大概連我也會慨嘆自己不自量力吧！可是我卻可用小學同學的名義，理直氣壯的去問她拿電話號碼。上天對我真不薄，也對除了我以外的所有男人太不公平了吧！」

大伙兒也因霍品超風趣的話而笑了。

那個富豪第三代有一張佈滿肥膏的臉，他興奮地說：「呵呵！我也可以用Sara小學同學的朋友身分，向她要電話號碼囉？」大家聽到這句故作幽默的話，也適當地陪了笑。

身穿紫色西裝的那個男人，開口第一句就問金莎：「Sara小姐，妳有男朋友嗎？」雖然他問得唐突，但金莎倒沒所謂，當她正要開口說沒有，霍品超卻比她快一步開了口：「Sara的男友，是個很有名氣的服裝設計師。」

「服裝設計師不都是同性戀的嗎？」富豪第三代說。大家又笑了起來。

那個染了一頭金紅色頭髮的女模特兒，彷彿給人冷落了，她把身子挨到富豪第三代的肩膊前，嗲聲嗲氣地對他説：「喂，你不是説要跟我合唱的嗎？」

富豪第三代把肥腫的手掌按在女模特兒的長腿上，一邊揉著，一邊説好。

當大伙兒開始唱歌、猜拳和喝酒時，霍品超向小蔡使了個眼色，兩人就先後走了出去。紫色西裝男人藉詞替金莎倒酒，向她愈移愈近，金莎扮作要接聽電話逃離了房間。

當她走到走廊的角落時，聽到霍品超和小蔡的聲音，她輕輕停下腳步，細聽兩人的對話。

霍品超的聲音明顯在生氣：「……妳怎麼被金莎跟來了？我已叫過妳要特別小心！」

小蔡委屈地説：「我真不明白為何你不讓她來？你把離家出走的她撿回來，不就為了這個目的嗎？」

「我會幫助她，只因她需要幫忙。我從她雙眼就能看出來了，她心裡有深不見底的恐懼！」他語氣裡的激動稍減了一點：「妳到現在還不明白嗎？金莎和我倆並非同一類人！」

「真抱歉！恕我真的不明白！」小蔡自嘲似的說：「我們沒錯是利用自己的身體去賺錢，但都是明買明賣，不也是磊落大方嗎？你故意隱瞞她，到底打算瞞上多久？瞞上一輩子嗎？她不也有權知道真相嗎？況且，你怎麼確定她不想幹？」

「我可以確定。」

「為甚麼？你親口問過她了嗎？」

「我可以確定。那是因為，我知道她仍然很愛她母親——」他的聲音停頓了幾秒鐘才續下去：「愛母親的女兒，一定不會幹這一行！因為，她覺得她的身體是母親所贈，她不會捨得損壞母親給她這份最重要的紀念品。所以，她的身分只是母親的女兒，她的身分不是她自己……金莎與我倆的不同，在於我們對自己的身體有絕對的自主權，她卻不知道自己根本沒有！她一天無法贖回自己，一天也作不得主！」

金莎偷聽到這裡，忽然心酸得要命，心臟好像被捏成一團的紙。她實在聽不下去，在不欲給兩人發現的情況下，無聲地退後了腳步。

她忽然明白了一切，她滿以為走出了家，就能永遠擺脫母親。事實上，她現在只是一個行為反叛的女兒，**希望博取母親的痛恨**而已。

——原來，她所做的一切，終究也是為了母親。

·

陸本木聽過「螳螂捕蟬，黃雀在後」這句成語，而這一次，他居然真的做了金莎身後的黃雀。

放學之後，他尾隨著金莎，雙眼一秒鐘也沒有離開過她。他隨她到了尖沙咀區的一幢老唐樓，然後在對街的快餐店坐下，一直盯著唐樓的門口不放，因為，縱使他不知道她住在哪一層，但只要他有耐性等下去，她早晚會走出來的。

在此之前，他曾經想過離棄她，而他也滿以為自己會做到，然而，大姐令他醒覺到，他只是在逃避自己扛起了又擲下的使命。但現在，他已決定要對她負責到底了。

半小時後，走出唐樓的不是金莎，而是蔡淑真，當他苦思良策，掙扎要不要改為跟蹤她的時候，金莎卻走出來了，他小心翼翼地尾隨著她。

事情就這樣變成了一個「螳螂捕蟬，黃雀在後」的奇怪局面。他見到兩人先後走進那家高尚的卡拉OK，就在外面死守。當他嚼著三文治，準備長期抗戰之際，他看到一肥一瘦的男人經過他身邊，穿紫色西裝的男人大聲罵道：「那個霍品超想怎樣？他帶個有男朋友的Sara來想搞甚麼？」

另一個贅肉橫生的男人，似是滿有經驗的說：「你不要這麼笨，這個霍品超，簡直是一頭狡猾的狼，他只是在幫她抬高身價！」陸本木馬上認得男人就是那個財大氣粗的富豪第三代，他最近因在夜店毆傷一名日籍男模特兒而鬧上報紙。

兩人走到卡拉OK門外抽煙，陸本木走到兩人附近，一邊玩NDS，一邊留意兩人的對話。

「那麼，我要定那個Sara了！」紫色西裝男人讚嘆著說：「好久沒見過那樣的美女了！你有沒有看見她，簡直不用化妝，皮膚好像吹彈得破！胸部也堅挺，該不是假的……」他大力地抽了一口煙。

「你先不要一副急色相，我來跟那頭狼談條件。」富豪第三代問：「你想包養她多久？」

「這種美女啊！一個月……不，起碼三個月才玩厭吧！」

「出價呢？你最高願意出多少？」

「這種高質素啊……十萬吧！」

「你對女人真慷慨啊！」富豪第三代說：「對那頭狼也真夠朋友，他可要抽一半的佣金啊！」

「你忘記了嗎？那個癲癲喪喪的小蔡也要了我四萬！簡直浪費了我父親的錢！」紫色西裝男人啐了一口：「如果她真是我女朋友，我一個星期就甩掉她了！」

「你不去想我玩的那個模特兒？」富豪第三代說：「一脫下衣服，她的胸墊比起她的胸還要大兩倍！功夫像足她拍的雜誌硬照——一動也不動！」

兩人笑嘻嘻的品評著，最後隨手拋掉了煙蒂，走回卡拉OK內。

陸本木垂下手中的NDS，整個人在發愣。在這一刻，他終於知道霍品超的身分了，對他的目的也再明白不過。

在卡拉OK的派對房內，一個頻頻在時裝雜誌內頁出現的女模，又站又坐又跪的，擺著各種各樣誘惑火辣的姿勢，每轉換一個姿勢，富豪第三代就用他的手機拍下來，當她連擺了二十多個姿勢後，富豪第三代神情滿足，他揚手叫她過來，一手把她抱進懷裡，隨手從衣袋抽出厚厚一疊千元紙幣，一張一張數著，對她說：「擺一個淫賤姿勢三百元，妳剛才擺了二十四個，也就是七千二百元，因為四捨五入的關係，就打賞妳七千元啦。」

「好壞啊你！」女模特兒嗔道：「一千元也省啊？」

「不省下又如何？」他用一雙肥手，從大疊紙幣裡作勢抽出一張。

女模特兒就在他的油臉上送上一吻，引得他呵呵大笑，把八千元塞到她手裡，「物超所值啊！」

那邊廂，小蔡正用盡所有感情，唱出兩首六十年代的英文民歌，點歌的東八字鬚男人一臉陶醉，把一千元遞給她作打賞，小蔡高高興興的用米高峰說了多謝。

在一旁冷眼旁觀的金莎，突然笑起來說：「看你們玩得真高興，我也想贏賞金啊！」

紫色西裝男人第一時間回應：「喔！那得看妳有沒有技能或專長囉！」

金莎想了一下說：「我不必用手觸碰酒瓶，單靠一張嘴巴，就能喝光整瓶酒。」

「有那麼厲害嗎？如果妳能做到，妳應該得到三千元賞金！」紫色西裝男人故作驚異地說。

抱著女模特兒的富豪第三代，這時候也插口說：「我給一千。」

金莎微笑起來，就用嘴巴叼起她剛才用過的飲管，放到酒瓶裡去，骨碌骨碌的喝光了它。然後，她滿臉得意地向兩人伸出掌心。

富豪第三代哼笑一聲，搖頭擺腦地說：「妳作弊！賞金沒啦！」

紫色西裝男人卻忙不迭的從銀包內取出三千元，「不算作弊啦！我倒覺得這真是聰明的做法啊！」他送錢給她的時候，故意輕摸她手心。

一直跟兩個男人在玩大話骰的霍品超，遠遠留意著金莎和紫色西裝男人，他這時候又輸一局，把半杯罰酒一飲而盡後，便向兩人走過來，用輕責似的語氣說：「Sara，妳這次真是太取巧了啊！這三千元賞金，就拿出來給大家開心一下，再開兩瓶芝華士吧！」

金莎卻把錢放進她的小手袋內，更拉上了拉鏈。她笑瞪著霍品超，用挑戰的眼神說：「當然不可以，我承認這是智取，但你想不到我想到的，你也不知道我知道的，就算是我贏！」

霍品超像應付淘氣小女童似的，對她牽了牽嘴角，「既然如此，妳還有甚麼是我想不到，也不知道的？」

「我現在沒有男朋友。」金莎馬上說：「你以為我仍跟那個服裝設計師在一起吧？我倆一早已分手了！還要是我提出分手的！」

此話一出，霍品超彷彿無法掩飾自己的驚訝，他當場呆住了。

金莎目不轉睛地盯著霍品超，兩人用眼神對峙了一會，他首先垂下眼睛，有點勉強地說：「幸好我剛才沒提及賞金，否則我就輸慘了！」

紫色西裝男人露出相當雀躍的表情，趕緊安慰她：「這麼漂亮的女孩竟沒男朋友，真是太可惜了！只要是好男人，也應該好好照顧她啊！」他暗暗向霍品超使了個眼色。

霍品超只是牽了牽嘴角，乾笑著說：「真可惜啊，可不是嗎！」

當大伙兒步出卡拉OK大堂時，金莎已半醉，眼神有點茫然呆滯，紫色西裝男人一直在她身邊攙扶著她，在對街暗暗觀看著的陸本木，透過落地大玻璃，看到那個攙扶著金莎的紫色西裝男人，多次用手心掃她的腰，她也不抗拒，兩人似乎玩得熟絡了。

在門口道別的時候，金莎更有點放蕩地向富豪第三代和紫色西裝男人大力揮手。

陸本木冷眼旁觀著這一幕，就算他已做足心理準備承受一切，但這些眼見的事實，仍是叫他產生一種宛如切膚般的痛楚。

眼看著你墮落，
我在想那是不是一種蛻變呢？
有時候，
人並不是自然蛻變的，
人只為了想化成蛻變後的形態，
才必須用蛻變這種話去救贖自己。

第十一章　深山野狼篇III

閉上眼和蓋著雙耳，
不代表就能阻擋恐懼

當霍品超告訴金莎，紫色西裝男人希望可跟她做三個月的男女朋友時，她的神情沒一點猶豫，只簡簡單單的說了聲好。

她看到霍品超皺著眉看她，就向他撅起了嘴巴，笑著補充一句：「怎樣了？我是自願的啊！我也頗喜歡他啊！」

霍品超諷刺她一句：「只見了一次，玩過幾個有賞金的遊戲，妳就喜歡他了？」

「你管得了我！」金莎反而開懷的笑了，強調著說：「如果我答應做她的女朋友，我會得到甚麼好處？」她問得直截了當。

「他對女朋友一向不薄。」霍品超恍如報告似的說：「這三個月，他會給妳六萬元服裝資助，共分兩期付款。三個月後，如果雙方皆同意續期，資助費可再商議，會酌量增加。他對女友提出的唯一要求是，如果他帶你出去應酬，你不能說不。如果他想帶妳去外地旅行，妳也不能夠說不。那當然，妳只需撥出時間，所有旅費也由他支付。」

「聽起來非常吸引啊！」

霍品超的表情變得嚴肅而僵硬，他開口問：「妳真的想清楚了嗎？」

「這是他問的，抑或是你問的？」

「我問的。」

「我不用回答你啊。」她笑了，「這個問題我只會回答他。」

「金莎，如果妳這樣做是為了——」他直視著她，神情有點困惑的說：

「不想看不起小蔡和我——」

金莎斷然打斷了他的話，向他微微一笑，「你想太多了！」

霍品超欲問無從的苦笑一下，「是的。也許，我想太多了。」他垂下眼，跟她說下去：「如果一切沒問題，他半小時後就想跟妳見面。他想請妳去五星級酒店的扒房吃飯，那裡的鵝肝非常著名。」

金莎高興地笑了，「好啊，我喜歡吃鵝肝！回來的時候，我告訴你是否真的好吃！」她提起小手袋，像真的要去赴一個美食約會，從容不逼地離開了他。

獨自留下來的霍品超，雙眼似乎穿透了眼前的牆壁，正凝視著不知名的遠方。

到了那家五星級酒店，紫色西裝男人已在大堂等候了，他見到穿了一襲紅色套裙的金莎，高興得簡直發了狂，連忙走到門口迎接她。

兩人走進升降機，按下扒房的層數，在升降機門快要合上的一刻，有人用手掌伸進門縫，「請等一等。」升降機門重新打開，金莎無意抬起眼一看，整個人怔住了，走進來的是陸本木。

他向金莎和紫色西裝男人有禮地微笑一下，看了看層數的顯示屏後，就靜靜站到金莎身邊去了。

站在她另一邊的紫色西裝男人，向她炫耀地說：「Sara，我訂了扒房裡唯一的一間VIP房，從那裡可看到整個維港，無人會騷擾到我們。」

金莎只能僵硬地笑了一下。

抵達扒房的樓層，陸本木讓兩人先出去，隨後才步出電梯，跟著就走到扒房門外假裝談電話。金莎心事重重地跟紫色西裝男人走進了VIP房間，真的如他所說，維港景色一覽無遺，但她現在根本沒有心情欣賞，而事實上，她原本也不可能有那份心情。

她坐了下來，卻一直如坐針氈，心情變得意興闌珊。她跟讀著餐牌的紫色西裝男人說要去洗手間，然後就氣沖沖地走了出去，她用眼神示意扒房門外的陸本木跟著來，一聲不響地領他走出酒店。她的怒氣頃刻爆發：「陸本木，你跟蹤我？」

「對啊，我跟蹤妳很多天了，甚麼也看到了。」陸本木的聲音出奇地平靜，他問：「妳真的想清楚了嗎？」

金莎心裡狠狠苦笑起來，這是她今天第二次聽到這個問題了，她露出自我解嘲的笑容說：「為甚麼你們都想控制我？我真像個腦袋挖空了、不懂思考的人嗎？」

「不是，只是妳面對著的霍品超，是個超乎常人聰明的人。」陸本木看著她說：「雖然我不知道所有細節，但我可以肯定，他一定裝出讓妳有選擇的自由，但事實上，妳現在所走的每一步，全都在他掌握之中。」

金莎激動的情緒緩和了一點，她咬咬牙說：「如果你的想法是錯的呢？」

陸本木用篤定不移的目光凝視她，「如果我的想法是對的呢？」

金莎的意志開始動搖了，只要細心回想發生的一切，她就知道陸本木的想法也有對的可能，可是，萬一她承認了，她就被騙得太慘、太無地自容了。

終於，她異常冷靜地開口說：「無論如何，我今天只是跟一個朋友吃頓飯而已，沒甚麼大不了！」

「我只想問一句，妳真的知道妳這個朋友的名字嗎？」

她張著嘴巴，一下子說不出話來。說實在的，她真的不知道，她沒有問，甚至無心考究。

她只能拖延地說：「你讓我和朋友靜靜吃完這頓飯……我希望你不要打擾，我離開時再跟你談。」

聽到金莎這樣說，陸本木沉默地點了點頭。

金莎轉身就向酒店門口走回去，陸本木在身後喊了她的名字，她止住腳步，卻沒回頭。

「無論發生任何事，妳知道的，金莎隨時隨地可找到陸本木。」

聽完陸本木的話，金莎沒任何反應，闊步走進酒店內。

回到VIP房，金莎推開門，看到仍在翻揭著餐牌的紫色西裝男人，她沒有坐下來，只是站在門口說：「我們不要吃了。」

「咦？為甚麼？」

「你已訂了房間吧？我們直接上房吧！」金莎竭盡全力令自己的臉上浮現出嫵媚的微笑。

與紫色西裝男人一同步進酒店房間內，金莎出奇地平靜，她滿以為自己會有走進冰箱、火海、深淵之類的恐怖感，但是沒有，她只覺得自己即將得到救贖而已。

其實，她很明白霍品超口中提到的救贖是甚麼，她的而且確是被特定選中的人。

到了這一刻，她反問自己，為何要做這個決定？其實，理由再簡單不過，那是：她從來沒有為自己做過一件事，如果她必須要做一件事，那必定是摧毀母親給她的禮物，她要令自己經歷鑄金似的過程——把金熔掉後再重塑形象——那麼，她也許才會愛上自己。

人不能選擇自己愛誰，但總能選擇自愛。因為她希望能夠自愛，所以她才會做出這件會被所有人評定為不懂自愛的事。

她慢慢走到窗前，看看大玻璃外瑰麗的景物。她怔怔地望向遠方，從玻璃的反映中，她看到紫色西裝男人像某種不知名生物似的向她逐漸爬近，她緊緊地閉上雙眼，再睜開，希望他就像自己做的噩夢，在最兇險的一刻就會醒來，可是沒有，紫色西裝男人已經走到她身後，近到連毛孔也可以感到他噴出的氣息，她像一頭受驚的貓，整個身子弓了起來，做了個一秒鐘前沒想過的決定。

她轉過身拉開了兩人的距離，毅然地對他說：「我不幹了！」

紫色西裝男人露出難以置信的表情，「甚麼？」

「你到底不是我愛的男人。」金莎以鄙夷的眼光瞪著他。

紫色西裝男人馬上生氣了，用力按住她的手臂，用自己的身子將她壓到玻璃前，半逼半哄地說：「不用怕啦，第一次總是緊張的，不用怕！」他湊過嘴巴欲吻她。

金莎猛然生出強大氣力，將他推開了數步。他又想撲上來，她沒法走到房門口，只能衝進最接近的廁所內，第一時間鎖上門。

紫色西裝男人在廁所門外大力拍門，非常生氣的吼道：「我已付了錢，妳想怎樣啊？把自己當作純情玉女嗎？這個時代不流行了啦！」

她用身體重重壓著門，害怕他會衝進來。

「讓我離開！」

「是要跟我玩那種虐待和被虐的遊戲嗎？我奉陪啊！出來！」他大力踢了一下門。

金莎倚在門上的身子震動了一下，她說：「我會報警！」

「妳的手機在手袋裡，妳的手袋在我這裡呢！」紫色西裝男人說：「妳報甚麼警！」

她頹然地滑到地板上，真的無計可施了嗎？

這個時候，金莎聽到房間內的內線電話響了起來，紫色西裝男人不耐煩地走去接聽，好像說了些甚麼，他步回廁所門前，隔著門，用異常焦急的語氣說：「我現在就走，妳自己出來吧！不過我警告妳，如果妳把今日的事傳出去，我有妳好看！」接著，她聽到外面傳來一下大力關門的聲音。

金莎很害怕這是一個陷阱，心裡掙扎了好一會，最後還是跑了出去，拿起手袋就走。當她打開房門時，卻見一個人站在門外，是小蔡。

金莎放心了，她看看走廊無人，便把小蔡拉進房間，下了雙重的門鎖。

「小蔡，妳為何在這裡？」

小蔡打開小雪櫃，拿出一罐礦泉水，扭開瓶蓋喝了兩口，然後說：「我打了個匿名電話到房間，告訴他有大批記者在酒店外聚集，他害怕自己玩女學生的事被揭破，他那性格古板的父親會多分他哥哥幾個巴仙的遺產啊，還不抱頭鼠竄嗎？」

「原來是妳幫助我！」

「妳要搞清楚，我沒有幫助妳，我只是停止加害妳。」小蔡坐到床上，蹺起雙腳看她。

「妳害我？」金莎呆呆的問。

「金莎，妳走吧，盡快回家去。這個世界就像大草原，每個人都要懂得自己是甚麼動物，如果妳是小綿羊，就永遠不會變成一頭大麻鷹。」小蔡心平氣和地說：「脫離羊群的羊，滿以為自己獲得自由了，但自由是要付出代價的，牠最終會成了狼的點心。一頭羊埋首在羊圈內，才能長久倖存。」

「妳的意思是——」

「妳為何愚笨得，寧願選擇不相信一個喜歡了妳幾年的人？」

金莎茫然地問：「霍品超和妳是一夥的？一切都是你倆的佈局？包括陸本木襲擊他的事？」她是感到深深的失望多於憤怒。

「你們不都說他像頭灰狼？妳知不知道，狼是群體動物，總會聯手捕獵——」小蔡忽然用力地摔一下頭笑了，「真無聊！我跟妳解釋那麼多幹麼？我既不是想救妳出火坑的社工，也不特別喜歡妳，妳還是快走吧！」

金莎咬咬牙就走，小蔡提醒她：「霍品超隨時會在酒店大堂或某個地方監視著。如果我是妳，我會跑後樓梯，再從後巷離開，然後，走了就永遠不回來！」

金莎默默地點一下頭，當她打開房門的時候，轉過頭跟小蔡說了句：「我不相信——」

小蔡在床上凝視著她。

「我不相信，全部都是假的……我們徹夜無眠時談過的心事、妳把被子都讓給我，自己冷得縮成了一團……我不相信。」

「無可救藥的笨蛋。」小蔡雙眼恍似紅了一圈，「快走，不要再給我見到妳了。」

金莎推門離開了，她找到防煙門，連跑了十多層樓梯。到了最後幾層，她感到喉嚨開始收緊。找到通往酒店後巷的出口時，她大大地鬆了口氣，立即跑出堆滿垃圾的狹窄灰暗後巷，眼見面前就是通往光明大街的巷口。

她滿以為已脫險，誰料霍品超卻從巷口拐出來，他高大的身影彷彿把整個出口堵住，讓她覺得無路可逃。她嚇得轉過身就跑，手袋卻撞到牆壁上，袋裡的東西四散到地上，她也管不了，拔腳就逃，可是她太緊張了，她感到自己的喉頭猛然收縮，完全喘不過氣來，當她想取出氣管舒張噴劑時，卻發現它掉到地上，而向她步步進逼的霍品超，此時正好俯身拾起了它。

金莎還想逃，但呼吸嚴重不暢順，她根本不可能再走了，只好一手按在牆壁上，一手輕輕按著喉頭，像瞪著一頭狼似的盯著霍品超。

「妳已經走不動了，對不對？」他將噴劑握在掌心把弄著，在距她十多呎之外停下腳步，「呼吸很困難，喉嚨好像變成針管般幼，只能輸入少得可憐的空氣，心跳也加速了，危險的警號響起來了。」

金莎痛苦地喘著氣，辛苦地說：「你想怎樣？」

「老實說，我也在問自己，我想怎樣？」霍品超露出一臉苦惱，「我跟蔡淑真從小就認識，她把一切告訴妳，也就是要賭她在我心目中的地位，到底是否凌駕在我的尊嚴之上。」

他沉默了片刻，彷彿相當惆悵而落寞地說：「女人都是自私的吧，眼裡容不下微塵。這是天性使然吧！正如世人總會誤解母親的愛總比父親偉大，事實上，母親的愛只是出於一己私欲。由於提供了子宮裡唯一尊貴的卵子及供應胚胎的營養，又付出了懷孕十月的種種代價，因此，母親不會把自己的孩子當人，只把自己當作既可創造一切也可毀滅一切的造物者……女人的自私，是最可怕的遺傳！」

金莎整個人蹲了下來，但她終究不肯開口求饒。

「一頭羊從狼的口中存活下來，是對狼的最大侮辱啊！所以，一定要給羊留下不能磨滅的烙印。」霍品超垂下頭，彷彿默哀似的說：「沒法子，妳也要明白，以我跟蔡淑真的交情，她要贏我一仗，絕對可以，但我卻不可以讓她贏得太漂亮……這是有關男人的嫉妒。」

在接下來的幾秒鐘，金莎就明白他話裡的意思了。他走到巷中的暗渠前，把噴劑擲了進去，它隨著污水流走，很快就不見了。

霍品超把雙手放進外套口袋，慢慢走近金莎，緩緩地說：「這該不構成謀殺罪吧？誤殺罪也該可順利地開脫吧？我真喜歡做任何不能將我懲辦的罪行。」他蹲到她面前，直視著她雙眼說：「我喜歡這一幕：一個人的瞳孔慢慢開始放大的一刻，想到的是甚麼？最懷念的又是甚麼？至於遺憾呢？沒有為自己妥善安排而害怕死後被揭發的秘密呢？如果每個人的人生都是一齣長篇電視劇，這就是將收視率推到最頂峰的結局高潮戲了！」語畢，他伸手想撫摸一下金莎的臉，她卻在他沒碰到她前，一手撥開了他的臂膀，他就縮回手，重新站起身來。

「一個人若放棄懺悔，也就不會得到救贖。」他有點失望地轉身，留下最後一句：「金莎，永別了。」他頭也不回地走出了後巷。

金莎艱難地從手袋拿出手機，打了一個電話，然而，她卻不是打電話報警，而是致電給陸本木。他在一秒鐘內便接聽了，「金莎，怎樣了？」

「對不起。」

「妳怎麼了？」他聽到她重重的喘氣聲，「妳在哪裡？」

「我快死了，我只想在死前說一聲對不起，你是對的。」

「先不要說這個，妳在哪裡？」他大聲喊著說：「告訴我啊！」

「我在酒店的後巷。」她的呼吸愈來愈急促，整個人一軟，手機便脫了手。

金莎伏在地上，只覺天旋地轉，在她差點喪失意識之前，陸本木拼命趕到了，赫然見到臉如死灰的她，他馬上拉起了她，把她抱進懷內。

「妳的噴劑呢？」

「沒有了。」她邊說邊扯著陸本木手臂。

陸本木想掙開她，但她緊抓著他不放，她解釋不了那麼多，只把目光放到好遙遠，「來不及了……我熬不過……不可能等到救傷車了。」

「我不會讓妳有事的。」他終於掙開恍似在大海中扯著救生圈的她，然後伸手入懷，從自己的外套內袋裡掏出一枝氣管舒張噴劑，交到她手中。

金莎整個人呆住了，她的目光從遠處拉回來，一直凝視著陸本木。她把噴劑放進口中連按幾下，極力地調控著呼吸，過了五分鐘後，她的呼吸總算大致回復暢順了。

可以說話的時候，她第一句就問：「陸本木，為甚麼你身上會有噴劑？」

「從第一次見妳使用開始，我就買了一枝，這幾年來……每次與妳見面時……我都隨身攜帶著。那是因為，我真的很害怕，萬一妳需要時卻發現自己竟忘了帶。」陸本木溫柔地說：「我怕妳死掉了……我真怕妳在我面前死掉啊！而我卻眼睜睜的甚麼也做不到。」

「你真的很喜歡我？」她雙眼紅得像染了血。

「我真的很喜歡妳。」

「你竟帶著我的藥！」

「對啊！我竟帶著妳的藥！我竟在學校操場上鴨仔跳！我竟跟你去了長洲的願望柱！我竟為了妳跟別人胡亂打架！」他的聲音始終保持平靜，一點也不慌亂地說：「我一直希望能成為醫治妳的藥。如果確實不能夠，我至少帶了妳需要的藥。」

「你真的很喜歡我吧？」

「我真的很喜歡妳！」他憂愁地微笑了，「無論妳再問幾多次，我的答案都是一樣的！」

金莎忽然整個人崩潰了，一直沒有為這事哭過的她，忽然瘋了似的流淚，而他只是緊緊地抱著她。

陸本木只把金莎送到她家大廈前，就向她告辭了，她有點奇怪的問：「你不陪我進去？」

「我要回家了。妳的家人在等妳，我的家人也在等我。」

「真有家人在等我嗎？」她沒信心的問：「我做了那麼多壞透的事……她還會等我？」

「只要妳說一聲：『我回來了！』」陸本木寬心地說：「妳就會得到妳想要的回應！」

「真的？」

「不騙妳。」他把旅行喼交到她手中。

金莎用她一直帶在身邊的鑰匙，寂然無聲的打開了家門，那種感覺好像上了月球後，重回地球似的恍如隔世。令她驚異的是，她發覺偌大的屋子已回復原貌。整個魚缸和四條小丑魚不見了，廚房內咖啡機的位置放回原來的搾汁機，鬱金香變回富貴竹，廁所裡的沐浴露變回柔順劑的味道。

她回到自己房間，是她一直見著的粉紅色的老模樣，她突然之間對這一切很不習慣，這使她突然明白，她一點也不嚮往以前，她喜歡自動更新的事物，她再也不想回到過去了。

她在母親關上了的房門前，深深吸了口氣就直接推門進去，母親正在書桌前埋首工作，雙手快速地在電腦鍵盤上移動，見到金莎，她的動作就停了下來。

一陣靜默在兩人之間流轉，金莎有點羞澀，但還是鼓起勇氣說：「**我回來了！**」

母親溫和地笑了笑，「那麼晚才回來啊？快去洗一個澡，好好休息一下吧！」

金莎的眼淚幾乎迸了出來，她相信陸本木的話了，家裡真有等著她的人，家人總是會互相關心卻又忍不住要互相責備一下。金莎好困難才忍住了想哭的衝動，對母親說：「下次會早點回來。」然後用確定的眼神點一下頭。

她正要轉身出去，母親喊：「金莎。」她拉開了書桌的抽屜，從裡面拿出一包三顆裝的金莎朱古力，「要嗎？」金莎發現抽屜裡面滿滿都是金莎朱古力，在書桌燈下金光閃閃的。

「好啊。」她走近母親，接過她手中的朱古力，兩人交換了一個禮貌的微笑。

她舒舒服服的淋了浴，感覺就像剛從洗衣機走出來一樣，整個人清新起來，她沖了一杯三合一咖啡，跟著返回睡房，一邊上網四處瀏覽，一邊打開那包金莎朱古力來吃。

她突然想起，相隔一堵牆之後的，是正在不眠不休地工作著的母親。她上了MSN，把「晚間加厚護墊」從黑名單中放出來，這才發現母親已換了名稱——「媽咪」，她正在上線中。

金莎朱古力：媽

媽咪：囡囡

金莎朱古力：對不起

媽咪：對不起

金莎朱古力：害妳太擔心了

媽咪：金莎好吃嗎？

金莎朱古力：很好味。但妳吃那麼多，不怕胖嗎？

媽咪：這是我的精神寄託啊！

金莎朱古力：（—o—;）

媽咪：我把家裡的一切還原了，有見到嗎？

金莎朱古力：見到了。家裡的事，以後我倆一同商量吧！

媽咪：（@。▽。@）

金莎朱古力：我的魚去了哪裡？

媽咪：我都送給別人了

金莎朱古力：也好，現在只剩下我倆相依為命了！

我能夠正式註冊成為你的藥嗎？
每當你有急需時，
我總會一直在你身旁，把你拯救出險境。
萬一不能夠的話，
我也帶備了你需要的藥，
讓你對症下藥似的需要著我。

最終回　深山野狼篇Ⅳ

整個宇宙中獨一無二的你和我，最親近的一刻

大姐買菜回家，甫打開大門，已嗅到一陣餸菜的香味，她感到很奇怪，走到廚房門前，見到陸本木很有功架地用生的白米練習著拋鑊。他全副武裝，頭戴一頂浴帽，頸掛圍裙，見到大姐，就向她熱情地說了聲嗨！

「你在搞甚麼啊？」她看到他鼻子上沾著粟粉。

「妳上次不是教我炒蛋，我卻總學不會嗎？我自己在反復練習啊！」

大姐看到他把廚具和材料亂放，不快地說：「你看你，把廚房弄得污煙瘴氣！」

「放心啦！你忘記我在家中是負責清潔的？」他說：「我會處理好！」

大姐仍不滿意，正要開口再罵，陸本木卻把一個用鐵蓋蓋著的碟子遞到她面前，「這是甚麼？」

「我付妳的學費。」

大姐看了他一眼就打開蓋子，那是一碟黃金色的、香噴噴的蛋包飯，碟邊更用茄汁圍著寫上「陸手作」三字。她揚起眉，睨他一眼說：「賣相不錯啊，總算可騙一下人。」

「來嚐一口啦！」

大姐拿起湯匙，舀了蛋包飯的一角，沾一點茄汁送進口中，她慢慢地嚼，良久無語，又好像必須找一些話去挫一下他的銳氣，她說：「這個蛋包飯，你是從哪家餐廳外賣回來的？」

「我就猜到妳會這樣說！」陸本木鬆了口氣，十分高興地說：「妳這是拐個彎在稱讚我啦？」

大姐給他漂亮的話一下擋回去，只好強詞奪理地說：「你這叫未學爬先學跑，連一個最普通的炒蛋也做不好，卻走去做蛋包飯了？」

「大姐，我當然記得妳的話，要講求秩序嘛！」陸本木明顯有備而來，從廚房內拿出另外幾碟，一個一個蓋子的揭開：「首先是炒蛋，然後有蝦仁炒蛋、煙蔥蛋、奄列蛋，然後才到蛋包飯，循序漸進的，算得上有秩序了？」

大姐看著一桌子各式各樣的炒蛋方法，訝異得不能言語，她用懷疑的語氣問：「你對下廚真的那麼有興趣？」

「對自己有可能獲得讚賞的事物，每個人都有興趣啊！」他向大姐單單眼，「況且，女人都會愛上懂得下廚的男人，我要自我增值啊！」

大姐翻了翻眼，「哦，原來如此，又是為了妳那個金莎啊？」

「有一半是為了我那個金莎！」他笑了，「另一半，是為了大姐。」

「為了我？」

「如果我的廚藝跟大姐旗鼓相當，大姐也許就不會看不起我了。」他看著那一碟碟尚算不俗的作品，那可是他耗了很多個小時、用了幾排雞蛋作試驗的成果。他感懷地說：「又說不定，有那麼一天，我倆姐弟更可聯手做一頓豐富的晚餐。」

「大姐從來沒有看不起你。」

大姐這句話，讓他重新抬起眼，定定地注視著她。

「你知道父親多希望有個兒子嗎？由他替我們三姐妹起的名字就知道了：我叫陸凱兒，二姐陸有男、三姐陸帶娣。我們之所以存在，其實就像那群朝著星星走的牧羊人，只為了守護及見證耶穌的誕生。」大姐的臉上有種從沒展現過的柔和：「作為一個弟弟，作為一個只有十八歲的男孩，你已經做得相當好了，也做得比任何一個十八歲的男孩都多。出生在全女性家庭的你，非常懂得尊重女人，也懂得細心體貼女人的需要。」

陸本木默默聽著大姐的話，不敢插上一句話。

「譬如說：家裡最粗重的工作，你會主動去做；每次去完廁所，你總會放下馬桶的廁板；你也會讓我們先進去梳洗化妝，你卻因此要等上很久；你會替我們晾曬內衣內褲，不怕街坊見笑；你也肯讓我們看電視節目，寧願自己上網看Youtube的錄播……」大姐一邊說著，一邊微笑了起來，「想起來，如果父親仍在生，你一定會受到王子式的溺愛。若是這樣，你反而會欠缺那種對女性的細緻敏感，變成平平無奇的一個反叛少年吧？」

陸本木聽到這裡也笑了起來，他也認同四索才得一男的父親，一定會待他如中了頭獎的彩券吧？他一定是個被寵壞的家中惡少。

大姐注視著陸本木，「我那麼嚴格地管教你，也常常責罵你，並不代表我看不起你。恰好相反，由於我看得起你，我才要把你像種子般培植。那個過程當然漫長艱苦，但你在將來一定會成為一個優秀的男人。」

「大姐，我明白了。」陸本木覺得氣氛太沉重了，他揚了揚手笑道：「既然大姐看得起我，那麼，我倆聯手的那一頓姐弟同心、其利斷金的晚餐——」

大姐轉過一張冷淡的臉，「不日上映！」

金莎的母親約陸本木出來見面，說要親自向他道謝。陸本木很高興見到金莎兩母女的關係得到和解，他欣然赴約了。她請他去半島酒店high tea。他當然也看過她主持的節目，這位被喻為全香港最美麗的財經女主播，真人比上鏡漂亮多了。

她的出現引起了咖啡室一陣小小騷動，應付完索取簽名和合照的客人後，兩人才可真正安坐下來，她愉快地訴說著金莎回家後的種種改變，兩人的關係如何變親暱了。陸本木聽得很安慰。

輪到他發言了：「伯母，我有一個問題——」話還未說完，他一張臉先紅了起來。

「甚麼事？」她說：「是關於金莎的吧？」

「哈！嗯！對啊！」他不知該如何啟齒：「是這樣的。萬一，我是說萬一……萬一，我有一天與金莎交往——」

「我總是鼓勵電視機前的觀眾，逢低便吸納籃籌股，尤其是落後於大市的優質藍籌股。」金莎媽媽幽默地微笑起來，「因為，錯過了低吸的時機，一旦它發力追趕上來，升勢就會一發不可收拾，來不及買的就只得眼睜睜悔恨了。」

陸本木指指自己鼻頭，「我是優質藍籌股嗎？」

「從過往的業績顯示，應該錯不到哪裡去。」

陸本木感到整個人飄飄然的，他自覺已得到女方家長對這段感情的默許了。現在要看的，是自己到底有多少能耐了。

當喝了兩壺紅茶和吃掉三層各式小糕點後，兩人已變得熟絡了，到了差不多要道別的時候，一直將一個問題憋在心頭的陸本木，終於忍不住開口問道：

「伯母，我可以問妳一個很唐突的問題嗎？」

「你問吧。」

「為何妳不再婚？」他怕對方誤會，連忙補上一句：「是工作太忙嗎？」

「不，無論女人工作有多忙，也希望能夠找到一個好歸宿。」

「金莎說妳離婚已達十年，是一段頗長的時間了啊。」

「那是因為，愛一個人需要費上極大的精力和時間，我把所有的心神都耗在金莎身上了，已變得沒有多餘的愛可以攤分給別人了！」她說：「更何況，離婚帶來了種種問題，譬如贍養費的官司、女兒的撫養權、單親家庭令女兒嚴重缺乏照顧等……兩人雖然分開了，但其實有著千絲萬縷的關連，或者說仍會懷著對二人為何結合的怨恨吧！這令女人深深地覺得，還是不再婚比較簡單。」

「那麼說，假設兩人的分離並非因為離婚，而是其中一方先去世——」

「留下的一方，應該盡快再婚，才能彌補逝去愛人的傷痛。」

自從跟金莎母親談了一席話，陸本木想了很多。最後，在母親和姐姐們全不知情下，他私自約了何先生出來吃飯。由於他堅持這一餐由他付賬，兩人最後去了麥當勞吃漢堡包和炸薯條。

「我也有很多年沒吃麥當勞了。」何先生咬著漢堡包，懷念著說：「在加拿大，我想吃的就只有香港的食物而已。想不到我回來香港後，又走到麥當勞。你知道嗎？全世界售價最便宜的麥當勞漢堡包，就在香港！」

陸本木吃著雪糕新地，嚴肅地問：「你真是我父親最好的朋友？」

何先生簡單地說：「我們真是最好的朋友。」

「能夠說些關於你們感情要好的事嗎？」陸本木愈說愈覺得自己太像問話，因此，他補充了一句：「因為……我想了解你、也了解我父親多一些。」

何先生想了一會，便從他小小的手提袋裡取出兩本加拿大護照，遞到陸本木面前。

陸本木用不解的眼神看著何先生，他鼓勵著說：「這是我和兒子的護照，打開來看看。」

他禁不住好奇，就伸手取過來看，一開始他沒發現甚麼特別的地方，然後，他認真細看兩人的中文名字，發現護照上的名字是「何本木」，而他兒子的名字是「何永仁」，陸本木訝異得說不出話來。

何先生此時開口了：「是的，這就是我和你父親之間的友情。」

「我明白了。」他無法再懷疑。

「就算他人已不在，但我相信，我倆的友情會在下一代延續下去……」何先生的聲音有點哀傷，慢慢地沉寂下來。

陸本木放下手中的雪糕新地，雙手合十，神情認真地說：「上次在家吃飯的時候，我的行為太魯莽了，我要向你正式道歉。」

何先生微笑著搖頭，「我也知道自己太唐突，我也有歉意。」

「但我仔細想清楚了，我不反對你和母親結婚。」

何先生聽到這句話，整個人愣了一下，然後感激地點了一下頭。

「但有三個條件。」他見到何先生示意自己說下去，便坦誠地說：「第一，你要疼愛我媽甚於你首任太太，絕不可以把她當作代替品。」

「這個當然。」

「第二，我只有一個父親。所以，我極其量只能叫你何叔叔。」

「我也這樣想。」何先生說：「但是，在將來的日子裡，我還是會對你盡父親的責任。」

「第三，我要你答應我，我媽是你人生中最後一個女人。」

「我答應。」他保證地說。

陸本木放心地微笑了，彷彿代替了大姐跟他說了一句：「請你給我媽幸福！」

周末時分，金莎與陸本木去了一家新開的二樓咖啡室喝下午茶，陸本木一進店，三個一身女僕裝扮的女侍應就向他拋媚眼，一直「主人、主人」的叫，三人一同欠欠身。

「主人，我是僕人紫——雷——！」

「主人，我是僕人小——雨——！」

「主人，我是僕人喵——喵——！」

陸本木情不自禁地向三個漂亮的女僕舔了舔舌頭，恍似非常受落。金莎卻對裝胸作勢的女僕看不過眼，尤其受不了她們故意扯高的嬌嗲聲線，她問他：

「我們怎麼來這裡？」

「雜誌的熱情推介啊！五顆星啊！」

「色情雜誌啊？」

「金莎，妳不能接受新思維了！妳老了囉！」陸本木說：「我還打算帶妳去新開的美少女戰士Café、足球小將茶餐廳，和死亡筆記大酒樓。」

「我寧願去Pacific Coffce就好。」

那名叫喵喵的女僕走了過來，身子靠得陸本木很近，用力眨動著她那長得能刺傷人的眼睫毛，在他耳邊火辣的哄著：「主人，還沒有想到喝甚麼嗎？就由僕人推介給主人嘛，試一杯『女僕燃燒魂』嘛！會由我喵喵親自調校給主人的哦！」

陸本木吞著口水，心跳著說：「So卡娃依呢！『女僕燃燒魂』啊！名字好銷魂哦！妳要我調校妳……不，妳要調校給我嗎？……」他正要大聲說好，可是金莎卻木無表情的對女僕喵喵說：「我要一杯熱咖啡！這位體弱多病的年輕人嗎？給他一杯凍鮮奶，加三顆生雞蛋！」

陸本木直瞪眼，「你要我做Rocky啊？」

「你有異議嗎？」她微笑問。

「喝鮮奶沒問題……但加三顆雞蛋？」

「那麼，加五顆。」金莎把兩個餐牌抛回給女僕喵喵，喵喵向他露出了一個慘慘的抹眼淚表情，就跳了開去。

「你自己一個來過了嗎？」

「沒有啊。」

「你自己一個會再來嗎？」

「當然不會啊！」陸本木搔搔頭，他不傻也不大真了，他慷慨激昂地說：「我最討厭這種主僕關係，真想去平等機會委員會告發它，我到這裡來也只為搜集證據而已！」

「你好有正義感哦！」

「只是我變身前的程度而已！」

金莎聽得很滿意，她拿起餐桌上的小木鈴，用力搖了搖它說：「這個又是甚麼鬼？」

小雨三步併作兩步的跳過來，「主人，小雨來了，有甚麼吩咐嗎？」

「雨停了，妳可以走了！」

小雨聽話的走了開去。

陸本木看看玻璃窗外的時代廣場，看到那個播著新聞的巨型屏幕電視，忽然想起的說：「妳最近有看新聞嗎？」

「我這陣子沒心情看新聞！我漏看了些甚麼嗎？」

「妳喜歡那本《米莎：大屠殺時代的回憶》的作者，承認書中一切內容都是她編造的！」陸本木想起那頭「深山野狼」，便告訴她：「作者以自傳的形式寫下二次大戰逃避納粹軍追捕、走了三千里路尋找父母的事情，但這些根本不是她的親身經歷！在書中，她說自己在樹林中與狼為伍，母狼像照顧自己的幼崽一樣照顧她的情節，原來根本沒那回事！這本書感動了萬千讀者，甚至拍成了電影，賺取了無數人的眼淚，但現在所有人都欲哭無淚囉！」

「算了吧！任何人的自傳，都會把自己變作聖人啊！」金莎問：「如果你寫自傳，會不會寫自己是個情場殺手？」

「我說自己是個真正的殺手，似乎更令人信服吧！」他反問她：「如果妳寫自傳呢？會不會寫自己從未拍過拖？」

「我說自己是個婚前絕對會守身如玉的少女，似乎更令人信服吧！」

兩人為了這些只有對方才能理解的對話而捧腹大笑，金莎停止了笑，她看一眼放在店內供客人上網的電腦，向那邊抬了抬下巴，「去上網啊。」

「不用啦，妳比任何一個網頁好看得多啊！」

她一臉沒好氣地說，「去看我網頁。」

陸本木這才哦了一聲，依她的話去了，他看到不知何時更新了的「10大最愛排行榜」，驚喜得不能自己！

深山野狼

他活像一頭灰狼，從外貌上看來有點狡黠可怕。然而，他就像我看過的那本名著《米莎：大屠殺時代的回憶》內，那群在樹林裡養大一個女孩的狼一樣，也是懂得保護我，而我又可信賴的狼。只要相處得久了，我發現他擁有的，其實是野狼智慧、頑強及可愛的一面。

深山野狼．殘念！

「深山野狼」已黯然落榜，「給我掛賬的人」卻重新跳上榜內，還躍升到第6位。在驚喜的同時，他也發現新人「我的中藥」正緊隨其後。

他在心裡輕嘆了一聲，這次真是前有勁敵，後有追兵啊！

第1位：M

——本內容已被作者隱藏——

第2位：在世上分裂出來的另一個自己

每次見到他，他總會心疼地對我說：「妳真不夠體貼自己！」要說誰最懂得我的需要，大概再也沒人比得上他了。他好像是我的細胞分裂出來的另一個我，每次見到他，我都會感到心情既緊張又激動。但願我也能夠擁有他的基因，來除去令我自慚形穢的那個部分。

第3位：我的救命恩人

他救過我的命，我也把他的命當成我的命了。在那天以後，他像伴隨著我的影子。我由五歲到十八歲的一切，他甚麼都知道，甚麼都記得。他記得我穿過甚麼衣服、每年的髮型是甚麼、最討厭吃甚麼菜、最常做的小動作、有甚麼口頭禪、和哪些男孩比較要好、騎的是甚麼牌子的單車、我第一篇作文的題目、每一年在班裡的排名、哪段時間請假最多……他甚麼都記得，而且記得像字典一樣精確。

第4位：Hero

一想起他，我就會聯想到熊熊的烈火。有些時候，當街上傳來消防車的響號時，我總會想他會不會就在車上？我一方面很敬仰趕往火場救人的他。另一方面，我卻替他擔心。但我知道，他最擔心別人替他擔心，所以，我只想說，我每一秒鐘也在祝福我心目中的這位大英雄。

第5位：紅色法拉利

說真的，我喜歡他大言不慚的語氣：「在香港駕駛法拉利，簡直是超級笨蛋！」最討厭的是，他本身擁有三輛法拉利，所以誰也不可質疑他的話。最可笑的是，這傢伙本來是上不了榜的，因為他對我並不怎麼樣，但由於我喜歡跟他一起在夜間飈車，是有可能跟他一起車毀人亡的，所以最好還是巴結他一下啦。

第6位：給我掛賬的人

我和他之間有一筆爛賬，在核賬以後，發現他還是欠我的，所以我毫不客氣地使用他，無論是雞毛蒜皮或要生要死的事都找他，偶然我還可以抓住他，借題發揮地痛罵他一頓。最難得的是，他居然又會照單全收，沒有對我賴賬。

第7位：我的中藥

他說：他就是我的中藥。別的男人只能是我的西藥，年輕時喝喝還可以，年紀大了，就會明白中藥的好處了！我便跟他說：是這樣啊？那我五十歲再去喝他這煲中藥也不遲啊！只是我不知道，到時候他見到美女變成的老太婆，會不會嚇得掉頭就走呢？

第8位：尋找初戀

分手後，我才發現自己原來那麼喜歡他，可惜我沒能堅持下去，始終沒去找他回來。我們的願望柱，我去過四次，那裡每次都不一樣。我在柱上寫給他的話，也被粉刷掉，他永遠也看不到了。願望柱告訴我這世界上沒有甚麼願望是永恆不變的。不過我仍然相信那年冬天，拿走了我的初戀的他，曾真心喜歡過我。

第9位：雷霆傘兵

如果每個女人，終其一生希望遇上一個完美的男人，我想就是他了。可惜，太完美的東西永遠難以專屬一人。我只知道，他活像個空降的雷霆傘兵，在我的世界裡忽然出現了，又忽然消失，讓我無法預計，也不可加以防備。在行內混得如魚得水的他，最近紅得發紫，與我的距離也愈來愈遠了。接下來的問題是：他會從我的世界正式撤退嗎？

第10位：澳洲牛奶公司

這個充滿陽光氣息的澳洲男孩，是我去澳洲旅行時的導遊。就算朋友警告過我，沒有一個導遊是不風趣又不風流的，但我仍是喜歡跟我聊天聊得十分暢快的他。他的思路和香港人完全不一樣，視野廣闊得像澳洲的草原，甚至讓我的思路有被顛覆的感覺。我跟他約好了，如果他來香港，我要帶他到佐敦道馳名的「澳洲牛奶公司」，吃一客五分鐘就會被伙記催趕離開的炒蛋多士。

縱使如此，陸本木還是蹦蹦跳的走回她身邊，萬分興奮地說：「為甚麼……為甚麼……我……我會——」

「你扮甚麼口吃啊！」

「我怕自己表現得不夠感動嘛！」他苦起臉說。

「哈！我給你感動死了！」

「無論如何，太謝謝了！」他真心高興的道謝。

「我才要跟你說謝謝，你是我的救命恩人，我卻經常誤會你是壞人，所以啊，真要跟你說抱歉啦！」金莎由衷地微笑，「雖然我說過，跌出了榜外就不可能再回去，但你是被陷害的，我們之間的誤會也冰釋了，所以不在此限啦——」她愈說愈靦腆，為了掩飾，於是換了一副兇巴巴的表情說：「只不過啊，陸本木，我警告你！你不要太洋洋得意！下一次我不會再手下留情！」

「知道。」

「不過，在此之前——」金莎凝視著他，「給我一個誓言。」

「咦？」

「給我一個誓言。」

「妳不是不相信男人的誓言嗎？」

「不要問，不要亂猜，甚麼也好，我只想聽一個誓言。」

「好，那麼我說說就好了。」他笑著說：「妳不要太認真。」

「嗯。」

陸本木清了清喉頭，準備認真地說了，這個時候，女僕喵喵遞上了他的鮮奶加生雞蛋（x5），然後又熱情地說：「主人，請問你還有甚麼吩咐呢？要不要玩橋牌、撲克或大富翁噢？」

金莎煩厭了起來，她大聲地說：「快滾開！滾離我們廿呎遠！」女僕喵喵嚇得「喵」的叫了一聲，馬上退開了，並好像真的心算了廿呎的距離，將雙手交疊在白色圍裙前，聽候下一步命令。

金莎看著目瞪口呆的陸本木，有點靦腆的笑了起來，「哈！哪有這麼煩的僕人……唔，你可以說了啊！」

這一下，陸本木反而給金莎的煞有介事弄得緊張起來，他一口氣喝掉那杯鮮奶加生雞蛋（x5），讓自己鎮定下來。他深深地吸了一口氣，緩緩舉起了三隻手指，大聲的說：

「金莎，我發誓，我會永遠深愛著妳！我起這樣的一個誓言，只因我知道，我對妳這種深愛，即使隨著時間逐漸減弱了，也可持續到這個世紀之末！如果所謂的永遠就是代表至死不渝，而妳我的生命也不可能長得過世紀末，那我可以斷定，妳是我這輩子最終極的愛情了！」

金莎聽完他這段話，仍是看著他，整個人卻有點恍惚失神。

「妳在聽嗎？」

金莎的身子震動了一下，她突然定睛看著他的臉，「喂，陸本木，你嘴巴——」

他立即伸手去抹嘴，抹了抹左邊後，又抹了抹右邊，然後用詢問的眼神看金莎。

她輕輕搖了搖頭。

他抹著下巴，連鼻翼都抹了，再看看自己手心，臉上有鮮奶嗎？沒有啊！

金莎還是搖了搖頭，她站起來，隔著餐桌把身子湊過去，將厚而柔軟的雙唇貼上他嘴巴，過了五秒鐘，甚至更久才放開。她坐了回去，羞澀得雙頰泛紅的微笑了，「——有我的唇印。」

同樣紅著臉的陸本木，開心地露出了童稚的笑容。

凌晨時分，金莎做了一個恐怖絕倫的噩夢。

她夢見有一條長舌的怪獸追著她，她拼命地逃，眼看快要逃離魔掌，怪獸卻伸出了舌頭，一下子就捲住她小腿，把她絆倒在地之後，硬要扯她過去，她看著自己的手臂磨擦著地面，拖出兩條血路來。她一直想抓緊甚麼止住去勢卻抓不著，當她感到絕望透頂時，一睜開雙眼就見到自己房間的天花板吊燈。

全身狂冒冷汗的她，不期然走到母親房門前，她猶豫了一刻，就決定敲門，母親在房間內說：「囡囡，進來啊！」

金莎打開了門，母親正坐在床上讀著一本亦舒小說，她脫下老花眼鏡，擔心地問：「甚麼事？」

「可以讓我躺在妳身邊嗎？」

母親溫和地笑了笑，拉開被子的一角，金莎像一頭受驚的老鼠般鑽進去，整個人還是猛打著顫。

母親輕輕摸她的頭，「囡囡，妳額角濕透了。」

「沒甚麼事，我做噩夢了，但噩夢過去了。」

母親也就不再說甚麼，只是用手環抱著她的肩，輕輕拍著她的背，讓她感覺非常安全，安穩的程度簡直令她可馬上睡去。但她在意識模糊之前的一刻，記起了一件重要的事，她把臉貼著枕頭，慢慢地開了口。

「媽。」

「嗯。」

「妳見過陸本木了，妳有沒有告訴他，我那個『10大最愛排行榜』，是假的？」

「沒有。」

「那麼，我就放心了。」金莎的眼皮沉重得幾乎睜不開來，在僅餘一絲清醒的時候，她說：「正如我告訴一個已跑了五公里的馬拉松選手，他不可能跑畢全程十公里，因為這個比賽根本就沒有終點……他是會氣餒地放棄的。我不希望他放棄……因為，那是因為……」她沒氣力把話說完，就發出了均勻而輕微的鼻息。

金莎朱古力：你有寫日記嗎？

晚間加厚護墊：以前有，現在刪掉了，太久沒更新了啊

金莎朱古力：我有個部落格，你要不要看？

晚間加厚護墊：好啊！

金莎朱古力：按右面的網頁連結

晚間加厚護墊：咦？我在妳的「10大最愛排行榜」上呢！

金莎朱古力：哈！給你發現了！

晚間加厚護墊：謝謝妳愛上了我！我會攀上第1位嗎？

金莎朱古力：既然我倆永遠不會在現實世界裡見面，我告訴你吧，我這個榜是假的

晚間加厚護墊：嗯？

金莎朱古力：在我心裡，有一個真正的「10大最愛排行榜」

晚間加厚護墊：那麼，這個排行榜造假的意義是——

金莎朱古力：我怕把真正的排行榜搬出來後，現在對我好的人不會再對我好——我好害怕，沒有人愛我！

【全書完】

我想，

我會永遠記得那個淺淺的吻，

那曾經是整個宇宙中獨一無二的你和我，

最親近的一刻。

#【後記】

梁望峯

愛情是一場最壯烈的、不是你死就是我亡、最後只剩下兩人生還的戰事。

突然興起寫這本書的念頭，源自我喜歡的一個女孩，她在Blog裡登了個「10大最愛排行榜」。榜上有名的我，簡直有飄飄然的感覺，馬上感到有一陣要擊敗其餘九個男人的戰意，和被另外九個男人威脅的寒意。

我和那女孩的結果並不重要，最重要的是，即使在現實世界裡的我受到再大的挫敗，在我小説裡的男主角卻可以勇敢地迎戰，也比起我更能從容面對，甚至説慷慨就義吧！如果説陸本木投射了最理想最正面的我，那麼，我相信他也活在我的陰影下，我的恐懼和頹喪、不忿和生氣，當然也變成他的負面情緒，在書中也可以透現出來。

在小說和散文之間，我始終愛寫小說，散文幾乎不寫了。那是因為，散文太赤裸裸地剖開自己，而我是愈來愈不希望公開展覽自己敗壞的內臟了，到底不是誰也可承受得起一場人體奧妙展。但透過寫小說，我可以把自己的情緒盡情宣洩，當有人問起，我又可以用「嘩！我只是在寫小說，你覺得好看就可以，不用那麼認真考究了吧？」這個借口，為自己打了馬賽克，否認那些角色就是我自己。這就是寫小說的好處，可以把一切推卸得一乾二淨。

因此，你們看完了書，不用問我跟那個女孩怎樣了，藉著故事情節去推敲一下就好啦，不要逼我用上面那句話去打發你哦☹！

本來，《WE》系列打算每本都是一個獨立的單元故事，但對不起啦，我今次實在寫得太長太長了，寫到破盡了我過去任何一本小說的字數紀錄，也只寫到男主角上到第6位而已，唯有分兩冊推出，不知大家希望看到陸本木和金

莎的結局如何？不妨寫封信告訴我，好讓我參考一下，也激發我靈感。我的電郵地址是：monkfung@hkcrown.com

根據看了前幾集《WE》的讀友寫給我的電郵，大部分都很喜歡校花藍閱山（大家也可搞個「10大最愛男女主角排行榜」嘛＠＠）。大家應該感到興奮了吧，本集也找來她客串，雖然只有短短的兩場戲，但她也頗搶鏡的。

藍閱山之所以粉墨登場，其實肩負著一個極重要的任務，也可說是解開了整個「10大最愛排行榜」之謎，我很想馬上告訴大家，但太早說穿了就不好看了。我們還是懷著飢餓的心情，守候下一集吧！

《WE 7》這本書寫了極漫長的三個月。這三個月比起任何三個月也難捱得多。生活上有很多不如意事接踵而來，各種衝擊令我整個人幾乎散掉了，根本無法集中精神去寫，有好多次停下筆來，懷疑自己最終能否完成這本書。我真的相信，萬一我真要放棄了，恐怕連神也不忍心責罰我。

幸好，有個女子一直在我身邊陪著我，在我最頹喪的時候對我不離不棄，慢慢的哄著我，亦忍受著我寫得不順心時的超壞脾氣，我會把這種患難與共銘記在心。真的。

因此，我給她最好的回報，就是繼續疼愛她，與及將這本書送給她。

獻給C.Charley。

寫《WE》的同時，我也開始著手全新系列——《THEY》。

《THEY》的內容要保密，但可以先向大家透露，我在寫這本書時，超愛霍品超這頭邪惡的灰狼，但他的戲分已完，不會在《WE》再度露面了。於是，我決定把他移交到《THEY》，預留了一個男主角的位子給他。

如果你也像我一樣，對神秘的霍品超感到興趣，記得密切留意快將出版的《THEY》。

好啦，我們在《WE 8》再見！

WEader's Letter

梁望峯先生：

我是從《WE 2 與維納斯的最後相認》開始才接觸您的作品——那時學校有書展，我被印有普普＆柳樂的封面吸引住，想也不想就買了這本書。我對您的愛情觀很有共鳴。

《WE 1》故事構思不錯，我覺得自己像楚浮，雖然我還沒有被班上的人排斥，但我就是沒有多少朋友；我真的很羨慕任天堂，他總有無盡的笑料引發大家的笑聲，成為萬人迷。難道我也要用最虛假的表面才能換取最真誠的友誼?!

《WE 2》比較靜態吧！我很贊同軍曹説年輕時拍拖不需太認真，那是現實；但我也很喜歡柳樂對普普的認真——我想要的還是這種戀愛。

《WE 3》雖然以援交作背景，但卻是六本作品中意義道理最重的一本。我很喜歡宋木棗這角色，當我看見宋木棗慢慢變得邪惡起來，我心裡很痛快，因為現實根本沒有童話，所有嘢都要靠自己爭取。

《WE 4》的結局出乎我意料之外，我沒有想過覃樂會死的。不過我頗喜歡您寫覃樂放走偷書小孩，讓他有機會重新認識父親，之後發現他父親是賊那段，因為有時我們想做到一樣事情，到頭來卻有反效果。

加恩

望峯：

當了你的讀者多少年也已經忘記了，記得第一本看你的書就是《Oh!戀愛學系》，自今到《WE》和《Oh!戀愛學系》的系列都全買回家了 ‖」

較早前看了的《WE 5》，意想不到地用了梁傲、梁粉、植秀村和植懿他們當這本書的主角，我相信這讓大部分的讀者也感到頗意外。

意想不到的是，植懿那個時候一直維持昏迷狀態，卻原來早已經醒過來，聽著他們的對話。她像是偷偷的，但卻又是那麼光明正大的聽著，只是他們都以為她還未醒過來。不過她要裝作甚麼也不知道，在這方面我倒有點同情她。

而最近買了《WE 6》後，很快的便給我看完了。起初看到連書也有「高清版」，那刻我真的笑了出來。

這本書看到結局後，才知道原來謝禮謙一直也沒改變自己的性取向，這一個人物是六本以來，最讓我感到意外的角色。至少，之前五本也未曾試過。

看到你書中寫O很喜歡聽〈蒲公英的約定〉這首歌，我就開來一邊聽著一邊看這本書。至於特別感觸的地方就是由謝禮謙不用飛去外國讀書直至結局，這讓我最感動。其實看到中段，我也感覺到謝禮謙對O的不只是友情那種簡單，但又似乎不太想知道他是真的喜歡上O，他們真的只是友情而已。

只是我有一個問題，為甚麼會突然用O來當其中一位男主角呢？不過，這也許就是《WE 6》的特別之處吧！不得不承認，除了《WE 1》外，《WE 6》是第二本讓我一邊看，一邊感到非常驚訝的書。

P.S. 期待《Oh!戀愛學系 9》的出品喔！

小粉絲阿瑩

阿峯短訊：阿瑩，《Oh!戀愛學系9》快將出版，是整個《Oh!》系列的完結篇了，記得密切留意啊！

望峯：

看完《送你一個完美無瑕的身分》後，覺得植懿這個角色寫得蠻好，令我最驚訝的是原來她早就從昏迷中甦醒過來，靜靜地聆聽著一切關於她自己的事情。還有的是她想偷望梁傲的過程也很刺激，萬一他醒過來會怎麼了？

另外，梁傲面上的疤痕也很令人感動呀！開初的時間還真的以為他和黑道仇殺才有這道疤痕，但是到了書末才知道他為了救一個小女孩才會令到自己的面部受傷。真係令人感動。

Tanley

望峯：

每次看完你的書我也需要一段時間去平靜自己的心情。因為每次看你的書，我腦海中都會描繪出書中的情況。

其實我看甚麼書也會在腦中描繪出影像，但不知怎的就是你的書最令我覺得真實。

有時甚至會把自己代入某個角色，所以我常常都感到很放不下，久久不能平服。

《WE 4》這本書我最讓我感同身受的是元氣吧！

很多時我也有這樣的想法：

明明是很愛他，但不知怎的對久了就有種厭的感覺。

人是不是都是這樣的呢？人都喜歡新鮮感？念舊的不好嗎？

幸好元氣最終也跟小悠一齊了，真值得高興唷！

但覃樂死了我真的很傷感喔……可是覃樂最終是含笑閉上眼睛。

除了看見媽媽，我想……他還看見了泡沫吧！

要是在死前一刻可以看見自己最愛的人，那麼我想真的沒遺憾了！

請繼續努力唷，無論你再出多少本《Oh!》和《WE》我也會繼續看的！

還會每本也給你看上5-6次喔>>

因為內容看多少次也不覺悶，仍然會觸動我的心。

P.S.泡沫在冬至那天說：「所以呀，明年今日，是我倆復合的一周年紀念。」泡沫打算自殺嗎？

牙嘉

阿峰短訊：牙嘉，妳誤解了泡沫的意思啦，她當然沒有打算自殺啊！她說那句話的意思，只是承諾從一周年的那個冬至起，會開始懷念覃樂，不再對生命採取逃避的態度而已！也只有這樣，泡沫才會從這個已死的人身上，得到一份重生的愛情哩！

Dear 望峯哥哥：

我好很喜歡你的小說。尤其是《WE 6 潘朵拉的幸福密碼高清版》，而當中的男主角——O，更成了我最愛的小說角色呢！他真是個很好的朋友，平日常常逗朋友開心，而當朋友有難卻是真心為朋友去解決。

這本小說的結局真出人意表，謝禮謙做的一切竟都只為了他心愛的O！但同一時間我討厭謝禮謙，既然他不是真心愛火火，為何又要和火火拍拖呢？害我心愛的O不能和他真心愛的人一起了。

無論如何，我是真心喜愛看你寫的小說，希望《WE》能繼續帶給我們無限驚喜。

Joy 朿

皇冠

香港皇冠叢書第一零四七種

WE 7 10大最愛排行榜

作者—梁望峯
發行人—平雲
總經理—麥成輝
出版發行—皇冠出版社（香港）有限公司
香港灣仔駱克道九十三至一〇七號利臨大廈一樓
電話⊙二五二九一七七八
傳真⊙二五二七〇九〇四
責任編輯—陳翠賢
封面設計—周文基
封面繪圖—龐坤
印刷所—美雅印刷製本有限公司
九龍觀塘榮業街六號海濱工業大廈四樓A室
香港初版一刷—二〇〇八年五月

國際書碼⊙ISBN:978-988-216-083-5